(공부계획표)

나는 이렇게 공부할 거야!

초등학교 ______ 이름 ______

오투의 각 일차가 내 교과서의
몇 쪽에 해당하는지 확인할 수 있어요!
만약 **비상 교과서 18~19쪽**이면
오투 18~23쪽을 공부하면 돼요!

일차	쪽수	비상 교과서	아이스크림	천재 교육	지학사	동아 출판	금성 출판사	김영사
13일차	**86~91**	68~69	74~75	82~83	72~75	70~71	76~77	74~75
14일차	**92~97**	70~71	76~77	84~85	76~77	72~73	74~75	76~77
15일차	**98~103**	72~73	78~79	86~89	78~79	74~75	78~79	78~79
16일차	**104~109**	74~75	80~81	90~91	80~81	76~77	80~81	80~81
17일차	**110~115**	76~77	82~83	92~93	82~83	78~79	82~83	82~83
18일차	**116~121**	78~79	84~85	94~95	84~85	80~81	84~85	84~85
19일차	**126~131**	92~93	98~99	106~107	96~97	92~93	94~95	96~97
20일차	**132~137**	94~95	100~101	108~109	98~99	94~95	100~101	98~99
21일차	**138~143**	96~97	102~103	110~111	100~101	96~97	102~103	100~101
22일차	**144~149**	98~101	104~105	112~115	102~103	98~101	96~99	102~105
23일차	**150~155**	102~103	106~107	116~117	104~105	102~103	104~105	106~107
24일차	**156~161**	104~105	108~109	118~119	106~107	104~105	106~107	108~109

오투와 내 교과서 비교하기

일차	쪽수	비상 교과서	아이스크림	천재 교육	지학사	동아 출판	금성 출판사	김영사
01일차	**6~11**	–	10~15	14~25	10~17	–	10~19	10~19
02일차	**12~17**	14~17	20~23	30~35	22~27	20~23	24~29	24~27
03일차	**18~23**	18~19	24~25	36~37	28~29	24~25	–	28~29
04일차	**24~29**	22~25	28~31	38~41	30~31	26~29	30~33	30~31
05일차	**30~35**	26~27	26~27	42~43	32~33	30~31	–	32~33
06일차	**36~41**	20~21	32~33	44~45	34~35	32~33	34~37	34~35
07일차	**42~47**	28~29	34~35	46~47	36~37	34~35	42~43	36~37
08일차	**52~57**	42~45	48~51	58~61	48~51	46~49	54~57	48~51
09일차	**58~63**	46~47	52~53	62~63	52~53	50~51	52~53	52~53
10일차	**64~69**	48~49	54~55	64~65	54~55	52~53	58~61	56~57
11일차	**70~75**	50~53	56~57	66~67	56~57	54~55	62~63	54~55
12일차	**76~81**	54~55	58~59	68~71	58~61	56~57	64~65	58~61

01일차	02일차	03일차	04일차
6~11쪽	12~17쪽	18~23쪽	24~29쪽
월 일	월 일	월 일	월 일
05일차	**06일차**	**07일차**	**08일차**
30~35쪽	36~41쪽	42~47쪽	52~57쪽
월 일	월 일	월 일	월 일
09일차	**10일차**	**11일차**	**12일차**
58~63쪽	64~69쪽	70~75쪽	76~81쪽
월 일	월 일	월 일	월 일
13일차	**14일차**	**15일차**	**16일차**
86~91쪽	92~97쪽	98~103쪽	104~109쪽
월 일	월 일	월 일	월 일
17일차	**18일차**	**19일차**	**20일차**
110~115쪽	116~121쪽	126~131쪽	132~137쪽
월 일	월 일	월 일	월 일
21일차	**22일차**	**23일차**	**24일차**
138~143쪽	144~149쪽	150~155쪽	156~161쪽
월 일	월 일	월 일	월 일

오투

초등과학

3-2

구성과 특징

'① 탐구로 시작하기 → ② 개념 이해하기 → ③ 문제로 완성하기'의 3단계 학습으로 규칙적인 공부 습관을 기를 수 있습니다.

출발!

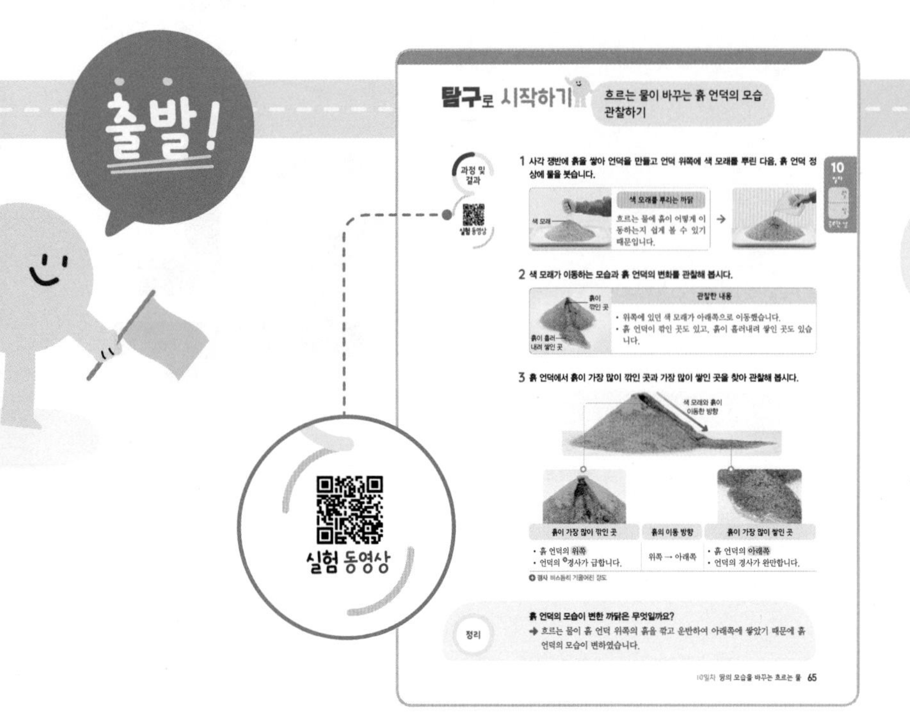

1 탐구로 시작하기

교과서 탐구의 과정, 결과, 정리의 흐름이 잘 드러나도록 구성하였습니다.

QR코드를 찍어 실험 동영상을 보면 탐구 내용을 더 쉽게 이해할 수 있어요.

2 개념 이해하기

7종 교과서를 완벽하게 비교 분석하여 빠진 교과 개념이 없게 구성하였습니다.
한 번에 개념의 흐름을 잡을 수 있도록 깔끔하게 정리하였습니다.

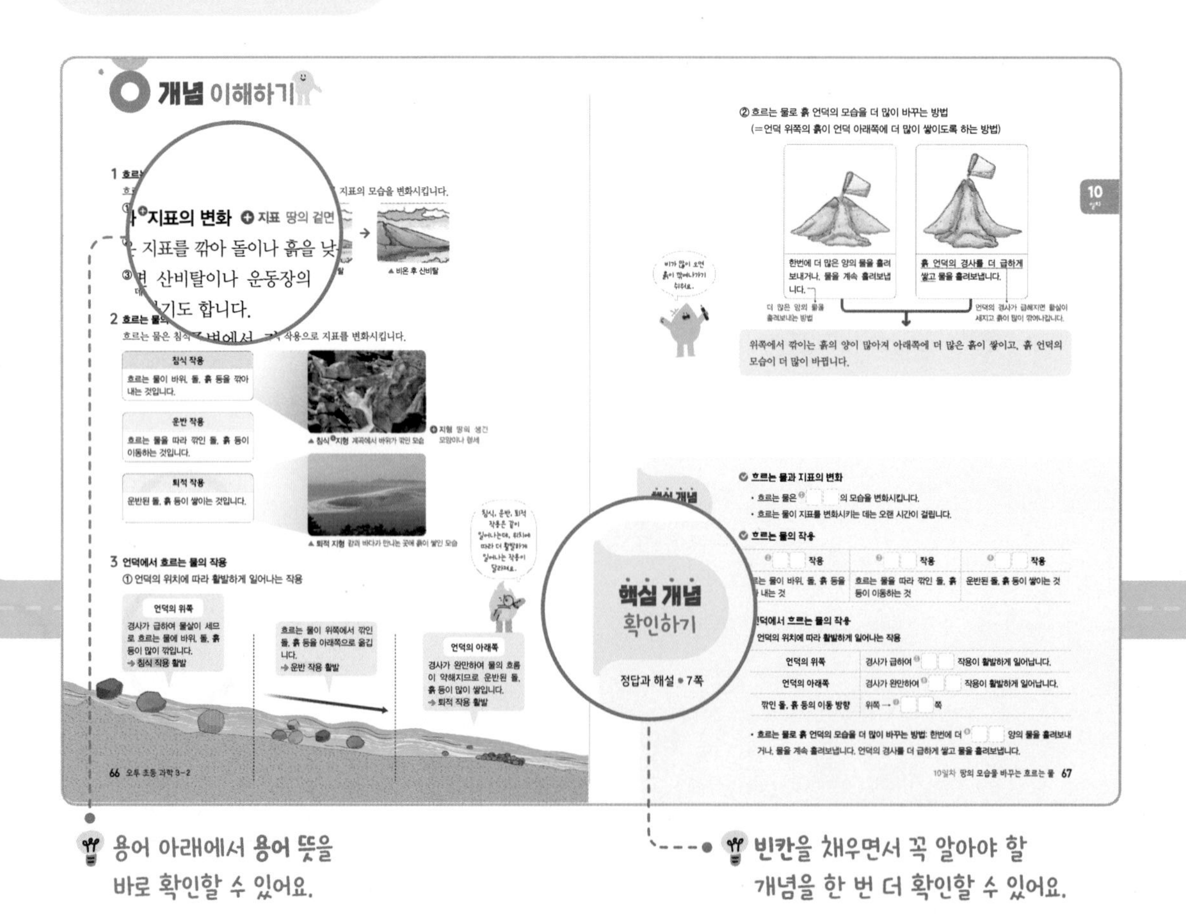

용어 아래에서 용어 뜻을 바로 확인할 수 있어요.

빈칸을 채우면서 꼭 알아야 할 개념을 한 번 더 확인할 수 있어요.

도착!

4

단원에서 배운 내용을 정리하고
학교 단원 평가에 대비할 수 있게 하였습니다.

QR코드를 찍으면 단원별로 정리된 용어와 추가 문제를 다운받을 수 있어요.

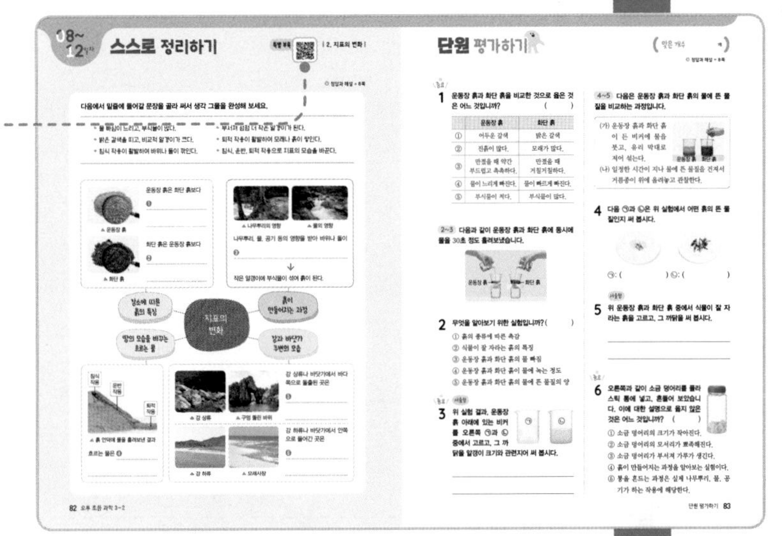

3

문제로 완성하기

탐구와 개념 학습의 결과를 확인하기에
적합한 문제들로 구성하였습니다.

문제로 완성하기

○ 정답과 해설 • 7쪽

흐르는 물과 지표의 변화

1 흐르는 물과 지표의 변화에 대한 설명으로 옳은 것을 보기 에서 골라 기호를 써 봅시다.

보기
㉠ 흐르는 물은 흙이 깎이지 않도록 지표를 보호한다.
㉡ 흐르는 물은 오랜 시간에 걸쳐 지표의 모습을 변화시킨다.
㉢ 흐르는 물은 바위, 돌, 흙 등을 높은 곳으로 운반하여 쌓아 놓는다.

( )

흐르는 물의 작용

2 다음은 흐르는 물의 작용에 대한 설명입니다. ( ) 안에 알맞은 말을 각각 써 봅시다.

흐르는 물이 지표의 바위, 돌, 흙 등을 깎아 내는 것을 (㉠) 작용이라 하고, 운반된 돌, 흙 등이 쌓이는 것을 (㉡) 작용이라고 한다.

㉠: ( ) ㉡: ( )

언덕에서 흐르는 물의 작용

3 오른쪽과 같이 언덕에서 물이 흐를 때, (가)~(다) 구간의 흐르는 물의 작용에 대한 설명으로 옳은 것을 보기 에서 골라 기호를 써 봅시다.

(가) (나) (다)

보기
㉠ 돌이나 흙은 (다)에서 (가) 방향으로 이동한다.
㉡ (가)는 침식 작용이 활발하게 일어나고, (다)는 퇴적 작용이 활발하게 일어난다.
㉢ (나)는 운반 작용만 일어난다.

( )

4~7 오른쪽과 같이 흙 언덕을 만들고 언덕 위쪽에 색 모래를 뿌린 다음, 흙 언덕 정상에서 물을 흘려보냈습니다.

물 / 색 모래 / (가) / (나) / (다)

흐르는 물이 바꾸는 흙 언덕의 모습 관찰하기

4 색 모래를 뿌리는 까닭은 무엇입니까? ( )

① 흙 언덕의 모양을 유지하기 위해서이다.
② 흙 언덕의 온도를 변화시키기 위해서이다.
③ 흙 언덕의 색깔을 변화시키기 위해서이다.
④ 흙 언덕을 더 단단하게 만들기 위해서이다.
⑤ 흐르는 물에 흙이 어떻게 이동하는지 쉽게 보기 위해서이다.

5 위 실험 결과, 흙 언덕이 변한 모습으로 옳은 것을 보기 에서 골라 기호를 써 봅시다.

보기
㉠ ㉡ ㉢ ㉣

( )

6 위 실험에 대한 설명으로 옳지 않은 것은 어느 것입니까? ( )

① 언덕의 경사는 (가)가 (다)보다 급하다.
② 흙이 가장 많이 깎이는 곳은 (가)이다.
③ 흙이 가장 많이 쌓이는 곳은 (나)이다.
④ 퇴적 작용이 가장 활발한 곳은 (다)이다.
⑤ 색 모래는 언덕의 위쪽에서 아래쪽으로 이동한다.

흐르는 물로 흙 언덕의 모습을 더 많이 바꾸는 방법

7 위 실험에서 흐르는 물로 흙 언덕의 모습을 더 많이 바꾸려고 할 때, 잘못된 방법을 말한 사람의 이름을 써 봅시다.

- 정민: 한번에 더 많은 양의 물을 흘려보내야 해.
- 경수: 물을 더 준비해서 오랫동안 계속 흘려보내야 해.
- 호연: 흙 언덕의 경사를 더 완만하게 쌓고 물을 흘려보내야 해.

( )

68 오투 초등 과학 3-2

10일차 땅의 모습을 바꾸는 흐르는 물 69

오투 차례

규칙적으로 공부하고, 공부한 내용을 확인하는 과정을 반복하면서 과학이 재미있어지고, 자신감이 쌓여갑니다.

3 물질의 상태

4 소리의 성질

과학 탐구 방법 (궁금한 점 생각하기)

탐구로 시작하기

❶ **회전판과 팽이 심을 사용하여 팽이를 만들고, 이 팽이를 돌리면서 궁금한 점을 생각해 봅시다.**

친구와 함께 팽이를 돌리면서 팽이가 도는 모습 관찰하기	→	팽이가 도는 모습에서 궁금한 점 생각하기
• 팽이가 조금 돌다 넘어졌습니다. • 나의 팽이보다 친구의 팽이가 오래 돌다 넘어졌습니다. • 팽이가 돌 때 팽이 심이 흔들립니다.	→	• 친구의 팽이가 더 오래 도는 까닭은 무엇일까요? • 팽이를 오래 돌리려면 어떻게 해야 할까요? • 팽이가 돌 때 팽이 심이 흔들리는 까닭은 무엇일까요?

❷ **비눗방울을 불면서 궁금한 점을 생각해 봅시다.**

비눗방울을 불면서 비눗방울 관찰하기	→	비눗방울에서 궁금한 점 생각하기
• 비눗방울은 공 모양입니다. • 비눗방울의 크기는 조금씩 다릅니다. • 비눗방울 액이 묻은 막대를 세게 불면 작은 비눗방울이 여러 개 나옵니다.	→	• 비눗방울 모양을 다르게 하려면 어떻게 해야 할까요? • 비눗방울을 더 크게 만들려면 어떻게 해야 할까요? • 비눗방울 액이 묻은 막대를 약하게 불면 비눗방울의 크기와 개수는 어떻게 달라질까요?

개념 이해하기

과학 탐구 방법

궁금한 점 생각하기 → 탐구 문제 정하기 → 탐구 계획 세우기 → 탐구 실행하기 → 탐구 결과 자료 만들기 → 탐구 결과 발표하기

↓

• 수업 시간에 배운 내용 중 궁금한 것을 떠올립니다.
• 주변에서 일어나는 일을 관찰하면서 궁금한 것을 떠올립니다.
• 궁금한 것은 잊지 않도록 기록합니다.

문제로 완성하기

◎ 정답과 해설 ● 2쪽

1 **다음 (　　) 안에 공통으로 알맞은 말을 써 봅시다.**

주변에서 일어나는 일을 관찰하다 보면 (　　)한 것이 생기는데 이를 탐구하면 (　　)증을 해결할 수 있다.

(　　　　　　　　)

탐구 문제 정하기

탐구로 시작하기

❶ 팽이가 도는 모습과 비눗방울을 관찰하면서 궁금한 점 중 가장 알아보고 싶은 것을 써 봅시다.

➜ 팽이를 오래 돌리려면 어떻게 해야 하는지 궁금합니다.

❷ ❶에서 궁금한 것을 해결하기 위해 생각해야 할 것을 써 봅시다.

▲ 겹친 회전판 수

▲ 팽이 심의 길이

▲ 회전판의 크기

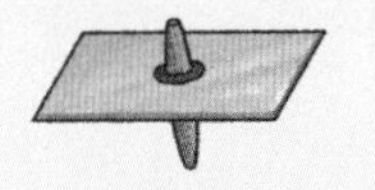
▲ 회전판의 모양

❸ ❷에서 가장 알아보고 싶은 것을 탐구 문제로 정해 봅시다.

➜ 회전판을 여러 장 겹치면 팽이가 도는 시간이 길어질까요?

❹ ❸에서 정한 것이 탐구 문제로 적절한지 확인해 봅시다.

확인할 내용			
확인할 내용	탐구하고자 하는 내용이 탐구 문제에 분명하게 드러나 있나요?	㉮예	아니요
	실제로 탐구하기에 알맞은 문제인가요?	㉮예	아니요
	탐구하기 위한 준비물을 쉽게 구할 수 있나요?	㉮예	아니요

개념 이해하기

과학 탐구 방법

궁금한 점 생각하기 → **탐구 문제 정하기** → 탐구 계획 세우기 → 탐구 실행하기 → 탐구 결과 자료 만들기 → 탐구 결과 발표하기

- 궁금한 점 중에서 가장 알아보고 싶은 것을 골라 탐구 문제로 정합니다.
- 탐구 문제가 적절한지, 스스로 해결할 수 있는 문제인지 확인합니다.

문제로 완성하기

정답과 해설 ● 2쪽

2 탐구 문제로 정하기에 적절한 내용의 기호를 써 봅시다.

> (가) 팽이의 회전판을 크게 하면 팽이가 더 재미있게 돌까?
> (나) 팽이 심의 길이를 길게 하면 팽이가 도는 시간이 길어질까?

( )

탐구 계획 세우기

탐구로 시작하기

❶ 탐구 문제를 해결하려면 어떻게 해야 할지 써 봅시다.

탐구 문제	회전판을 여러 장 겹치면 팽이가 도는 시간이 길어질까요?	같게 해야 할 조건	• 회전판의 크기, 모양, 무게 • 팽이 심의 종류, 길이
		다르게 해야 할 조건	겹친 회전판의 개수
		다르게 한 조건에 따라 바뀌는 것	팽이가 도는 시간

❷ 준비물, 예상되는 결과, 탐구 순서, 역할 나누기 등을 생각하여 표로 정리해 봅시다.

준비물	회전판, 팽이 심, 초시계 등
예상되는 결과	회전판을 여러 장 겹칠수록 팽이가 도는 시간이 길어질 것 같습니다.
탐구 순서	❶ 회전판이 한 장인 팽이, 두 장을 겹친 팽이, 세 장을 겹친 팽이를 각각 만듭니다. ❷ 각 팽이를 같은 횟수만큼 돌리면서 팽이가 멈출 때까지 걸린 시간을 측정하여 가장 오래 도는 팽이를 찾습니다.
역할 나누기	각 모둠원이 해야 할 일을 팽이 만들기, 팽이 돌리기, 시간 측정하기, 시간 기록하기 등으로 나눕니다.

❸ ❷를 정리해서 탐구 계획을 세워 봅시다.

개념 이해하기

과학 탐구 방법

궁금한 점 생각하기 → 탐구 문제 정하기 → **탐구 계획 세우기** → 탐구 실행하기 → 탐구 결과 자료 만들기 → 탐구 결과 발표하기

- 탐구 문제를 해결할 방법을 정합니다.
- 탐구 계획을 세웁니다. 탐구 계획에는 탐구 문제, 탐구 문제를 해결할 방법, 준비물, 예상되는 결과, 탐구 순서, 역할 나누기 등이 있어야 합니다.
- 탐구 계획이 탐구 문제 해결에 적절한지 확인하고, 부족한 부분은 보충합니다.

문제로 완성하기

정답과 해설 • 2쪽

3 탐구 계획에 있어야 할 내용이 아닌 것은 어느 것입니까? (　　　)

① 준비물　　② 탐구 문제　　③ 탐구 순서
④ 예상되는 결과　　⑤ 탐구를 방해할 사람

≫ (탐구 실행하기)

탐구로 시작하기

① 탐구 계획에 따라 팽이를 만들어 봅시다.

➜ 크기가 같은 회전판 여섯 개와 팽이 심 세 개를 준비하고, 회전판이 한 장인 팽이, 회전판을 두 장 겹친 팽이, 회전판을 세 장 겹친 팽이를 각각 만듭니다.

② 겹친 회전판의 개수가 다른 세 개의 팽이를 5회씩 돌리면서 팽이가 멈출 때까지 걸리는 시간을 측정해 봅시다.

조건		회전판 한 장	회전판 두 장	회전판 세 장
팽이가 도는 시간(초)	1회	5	10	20
	2회	7	12	19
	3회	5	11	22
	4회	6	12	23
	5회	8	13	18

③ 탐구를 실행하여 알게 된 점을 이야기해 봅시다.

➜ 겹친 회전판의 개수가 많을수록 팽이가 오래 돕니다.

④ 탐구를 하기 전에 예상한 결과와 실제 탐구 결과를 비교해 봅시다.

➜ 예상한 대로 회전판을 여러 장 겹칠수록 팽이가 오래 돕니다.

개념 이해하기

과학 탐구 방법

궁금한 점 생각하기 → 탐구 문제 정하기 → 탐구 계획 세우기 → **탐구 실행하기** → 탐구 결과 자료 만들기 → 탐구 결과 발표하기

- 탐구 계획에 따라 안전에 유의하여 탐구를 실행합니다.
- 탐구를 실행하면서 나타나는 현상을 관찰하고, 그 결과를 빠짐없이 기록합니다.
- 탐구 결과를 정리하고, 예상한 결과와 실제 탐구 결과를 비교해 봅니다.

문제로 완성하기

정답과 해설 ● 2쪽

4 탐구를 실행할 때 다음 (　　) 안에 알맞은 말을 써 봅시다.

> 탐구 계획에 따라 탐구를 실행할 때에는 나타나는 현상을 자세하게 관찰하고 그 결과를 빠짐없이 (　　)한다.

(　　　　　　　　)

탐구 결과 자료 만들기

탐구로 시작하기

❶ 탐구 결과를 잘 전달할 수 있는 발표 방법과 발표 자료의 종류를 정해 봅시다.

➜ 포스터를 만들고, 이를 보여 주며 발표하겠습니다.

➜ 스마트 기기를 이용하여 발표 화면을 만들고, 이를 보며 발표하겠습니다.

❷ 발표 자료에 들어가야 할 내용에 표시를 해 봅시다.

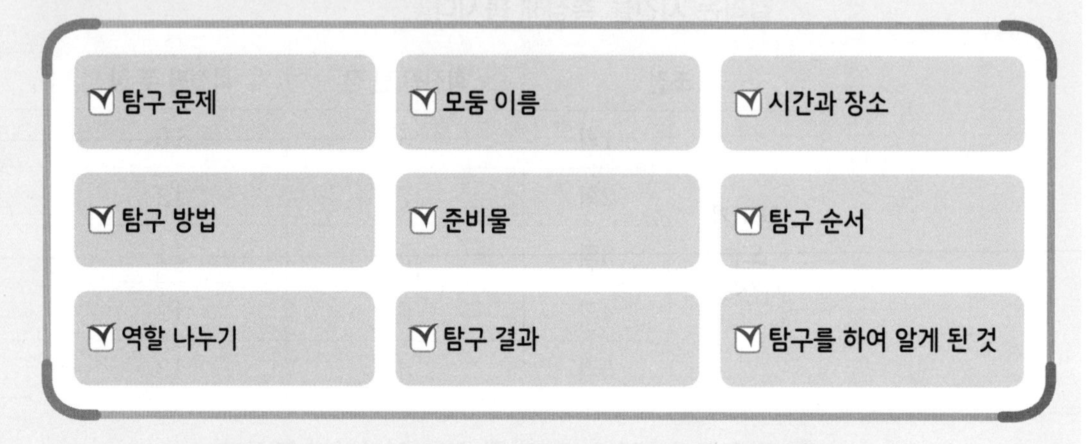

❸ 발표 자료에 들어갈 내용을 확인한 후 발표 자료를 만들어 봅시다.

개념 이해하기

과학 탐구 방법

궁금한 점 생각하기 → 탐구 문제 정하기 → 탐구 계획 세우기 → 탐구 실행하기 → **탐구 결과 자료 만들기** → 탐구 결과 발표하기

- 탐구 결과를 전달할 수 있는 발표 방법을 정합니다.
- 탐구 결과를 발표할 자료를 만듭니다.
  ➜ 탐구 문제, 모둠 이름, 시간과 장소, 탐구 방법, 준비물, 탐구 순서, 역할 나누기, 탐구 결과, 탐구를 하여 알게 된 것 등이 반드시 들어가야 합니다.

더 알아보고 싶은 것, 느낀 점 등의 내용을 더하여 발표할 수 있어요.

문제로 완성하기

○ 정답과 해설 ● 2쪽

5 **탐구 결과 자료를 만들 때 반드시 들어가야 할 내용이 아닌 것은 어느 것입니까?** (　　)

① 탐구 문제　② 모둠 이름　③ 탐구 순서
④ 탐구 결과　⑤ 탐구를 하지 않아도 알 수 있는 것

>>(탐구 결과 발표하기)

탐구로 시작하기

❶ 준비한 발표 자료를 확인한 후 탐구 결과를 발표하고, 탐구에 대한 친구들의 질문에 답해 봅시다.

❷ 다른 모둠의 발표를 듣고 발표가 적절한지 생각해 봅시다.

확인할 내용			
	탐구 내용이 탐구 문제에 분명히 드러나 있습니까?	(예)	아니요
	탐구를 하여 알게 된 것이 탐구 문제를 해결하기에 적절했습니까?	(예)	아니요
	발표 자료를 이해하기 쉽게 만들었습니까?	(예)	아니요
	알맞은 목소리 크기와 빠르기, 바른 자세로 발표했습니까?	(예)	아니요

❸ 우리 모둠의 발표에서 잘한 점과 보완해야 할 점을 정리해 봅시다.

잘한 점

- 발표 자료를 보기 쉽게 만들었습니다.
- 발표자의 목소리 크기가 적당했습니다.
- 그림을 이용하여 이해하기 쉽게 설명하였습니다.

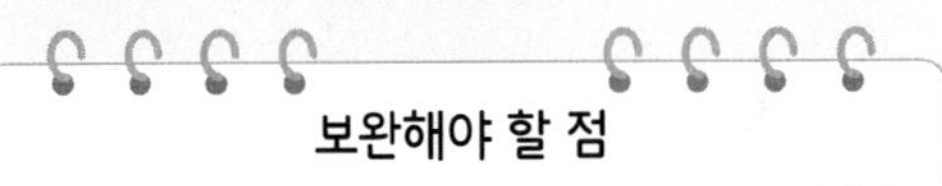

보완해야 할 점

- 자료 내용이 부족했습니다.
- 발표 자료의 크기가 작았습니다.
- 다른 모둠의 질문에 대답을 잘하지 못했습니다.

개념 이해하기

과학 탐구 방법

궁금한 점 생각하기 → 탐구 문제 정하기 → 탐구 계획 세우기 → 탐구 실행하기 → 탐구 결과 자료 만들기 → **탐구 결과 발표하기**

- 탐구 결과를 발표하고, 발표가 끝나면 친구들의 질문에 대답합니다.
- 친구들이 발표하는 내용을 주의 깊게 듣습니다.

더 알아보고 싶은 것을 찾아 새로운 탐구를 해 볼까요?

문제로 완성하기

정답과 해설 • 2쪽

6 탐구 결과 발표하기에서 적절하지 않은 내용은 어느 것입니까? (　　　)

① 알맞은 목소리와 말투로 발표한다.
② 탐구 자료를 이해하기 쉽게 만든다.
③ 발표 중에 궁금한 점이 있으면 바로 질문한다.
④ 탐구 내용이 탐구 문제에 분명히 드러나 있는지 확인한다.
⑤ 탐구를 하여 알게 된 것이 탐구 문제를 해결하기에 적절했는지 확인한다.

02일차

특징에 따른 동물 분류

비슷한 특징을 가진 동물끼리 분류하기

1 다음 여러 가지 동물의 생김새를 관찰하고, 공통점과 차이점을 이야기해 봅시다.

➜ 까치, 잠자리, 벌, 나비는 날개가 있지만, 고양이, 금붕어, 뱀, 개구리, 토끼, 지렁이는 날개가 없습니다.

➜ 까치, 잠자리, 고양이, 벌, 개구리, 토끼, 나비는 다리가 있지만, 금붕어, 뱀, 지렁이는 다리가 없습니다.

➜ 잠자리, 벌, 나비는 더듬이가 있지만, 까치, 고양이, 금붕어, 뱀, 개구리, 토끼, 지렁이는 더듬이가 없습니다.

2 동물의 특징에 따라 분류 기준을 세워 보고, 분류 기준이 알맞은지 이야기해 봅시다.

분류 기준	분류 기준으로 알맞은가?
빠른가?	분류 기준으로 알맞지 않습니다. ➜ 어떤 동물이 빠르고 느린지 판단하는 기준이 사람마다 다르기 때문입니다.
날개가 있는가? 다리가 있는가?	분류 기준으로 알맞습니다. ➜ 누가 분류해도 같은 결과가 나오기 때문입니다.

3 알맞은 분류 기준에 따라 동물을 분류해 봅시다.

분류 기준: 날개가 있는가?

그렇다.	그렇지 않다.
까치, 잠자리, 벌, 나비	고양이, 금붕어, 뱀, 개구리, 토끼, 지렁이

정리

특징에 따라 동물을 분류할 때 기준이 될 수 있는 것은 무엇일까요?

➜ 날개의 유무, 다리의 유무, 더듬이의 유무 등이 있습니다.

개념 이해하기

1 주변에서 사는 동물

우리 주변에는 다양한 동물이 살고 있으며, 저마다의 특징이 있습니다.

집 주변	나무	연못	
 고양이	 참새	 개구리	 금붕어
• 몸이 털로 덮여 있습니다. • 꼬리가 있습니다. • 다리가 두 쌍이 있습니다.	• 몸이 깃털로 덮여 있고, 부리가 있습니다. • 날개가 한 쌍, 다리가 한 쌍이 있습니다. • 날개로 날아다닙니다.	• 다리가 두 쌍이 있고, 뒷다리가 앞다리보다 깁니다. • 땅에서는 뛰어다니고 물속에서는 헤엄쳐 다닙니다.	• 아가미와 지느러미가 있습니다. • 물속에서 헤엄쳐 다닙니다.
화단			
 거미	 개미	 나비	 공벌레
• 몸이 머리가슴과 배의 두 부분으로 구분됩니다. • 다리가 네 쌍이 있습니다. • 거미줄에 매달려 있습니다.	• 몸이 머리, 가슴, 배의 세 부분으로 구분됩니다. • 더듬이가 한 쌍, 다리가 세 쌍이 있습니다. • 다리로 걸어 다닙니다.	• 더듬이가 한 쌍, 다리가 세 쌍, 날개가 두 쌍이 있습니다. • 날개로 날아다닙니다. • 대롱같이 생긴 입으로 꽃의 꿀을 먹습니다.	• 몸에 여러 개의 마디가 있습니다. • 다리가 일곱 쌍이 있습니다. • 건드리면 몸을 공처럼 둥글게 만듭니다.

2 동물의 분류 기준

⊕ **분류** 종류에 따라서 가르는 것

① 동물의 특징에 따라 분류 기준을 세워 동물을 분류할 수 있습니다.

② 누가 분류해도 같은 결과가 나올 수 있는 분류 기준으로 동물을 분류해야 합니다.
'예쁘다', '무섭다', '크다', '작다' 등은 사람마다 다른 결과가 나올 수 있는 분류 기준이므로 알맞지 않습니다.

③ 여러 가지 분류 기준

날개가 있는 것과 없는 것	다리가 있는 것과 없는 것	더듬이가 있는 것과 없는 것
알을 낳는 것과 그렇지 않은 것	새끼를 낳는 것과 그렇지 않은 것	물에서 사는 것과 그렇지 않은 것

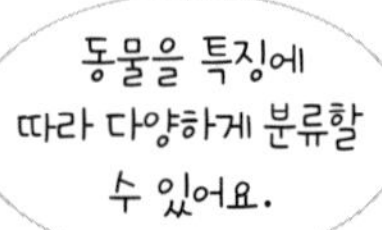

3 특징에 따른 동물 분류

분류 기준: 다리가 있는가?

그렇다.	그렇지 않다.
고양이, 참새, 개구리, 거미, 개미, 나비, 공벌레, 까치, 잠자리, 벌, 토끼	금붕어, 뱀, 지렁이

분류 기준: 더듬이가 있는가?

그렇다.	그렇지 않다.
개미, 나비, 공벌레, 잠자리, 벌	고양이, 참새, 개구리, 금붕어, 거미, 까치, 뱀, 토끼, 지렁이

분류 기준: 알을 낳는가?

그렇다.	그렇지 않다.
참새, 개구리, 금붕어, 거미, 개미, 나비, 공벌레, 까치, 잠자리, 벌, 뱀, 지렁이	고양이, 토끼

➔ 동물을 특징에 따라 분류하면 동물을 이해하는 데 도움이 됩니다.

02 일차

핵심 개념 확인하기

정답과 해설 • 2쪽

✔ 주변에서 사는 동물

동물	볼 수 있는 곳	특징
고양이	집 주변	몸이 ❶ □로 덮여 있고, 다리가 두 쌍이 있습니다.
참새	나무	몸이 ❷ □□로 덮여 있고, 날개가 한 쌍이 있습니다.
개구리	연못	다리가 ❸ □ 쌍이 있고, 뒷다리가 앞다리보다 깁니다.
공벌레	화단	몸에 여러 개의 마디가 있고, 다리가 ❹ □□ 쌍이 있습니다.

✔ 특징에 따른 동물 분류: 특징에 따라 ❺ □□ □□을 세워 동물을 분류할 수 있습니다.

동물	분류 기준		
참새, 잠자리, 뱀, 금붕어, 개미, 토끼, 거미, 지렁이	날개가 있는가?	그렇다.	참새, ❻ □□□
		그렇지 않다.	뱀, 금붕어, 개미, 토끼, 거미, 지렁이
	다리가 있는가?	그렇다.	참새, 잠자리, 개미, 토끼, ❼ □□
		그렇지 않다.	뱀, 금붕어, ❽ □□□
	더듬이가 있는가?	그렇다.	잠자리, ❾ □□
		그렇지 않다.	참새, 뱀, 금붕어, 토끼, 거미, 지렁이

문제로 완성하기

주변에서 사는 동물

1 **오른쪽 공벌레에 대한 설명으로 옳은 것은 어느 것입니까?** (　　　)

① 부리가 있다.
② 다리가 세 쌍이 있다.
③ 날개가 있어 날 수 있다.
④ 대롱같이 생긴 입으로 꿀을 먹는다.
⑤ 건드리면 몸을 공처럼 둥글게 만든다.

2 **다음과 같은 특징이 있는 동물은 어느 것입니까?** (　　　)

- 화단에서 볼 수 있다.
- 더듬이가 한 쌍, 다리가 세 쌍이 있다.
- 몸이 머리, 가슴, 배의 세 부분으로 구분된다.

① 
▲ 참새

② 
▲ 개미

③ 
▲ 거미

④ 
▲ 개구리

⑤ 
▲ 고양이

동물의 분류 기준

3 **동물을 특징에 따라 분류할 때 분류 기준으로 알맞지 않은 것은 어느 것입니까?** (　　　)

① 다리가 있는가?
② 새끼를 낳는가?
③ 물에서 사는가?
④ 무섭게 생겼는가?
⑤ 더듬이가 있는가?

4~6 다음은 여러 가지 동물입니다.

▲ 잠자리 ▲ 벌 ▲ 뱀 ▲ 까치

▲ 나비 ▲ 금붕어 ▲ 토끼 ▲ 지렁이

❯ 특징에 따른 동물 분류

4 위 동물을 다음 표와 같이 다리가 있는 것과 없는 것으로 분류하여 동물의 이름을 써 봅시다.

다리가 있는 것	다리가 없는 것
(1)	(2)

5 위 동물을 다음과 같이 분류했을 때 분류 기준 (가)로 옳은 것은 어느 것입니까? (　　　)

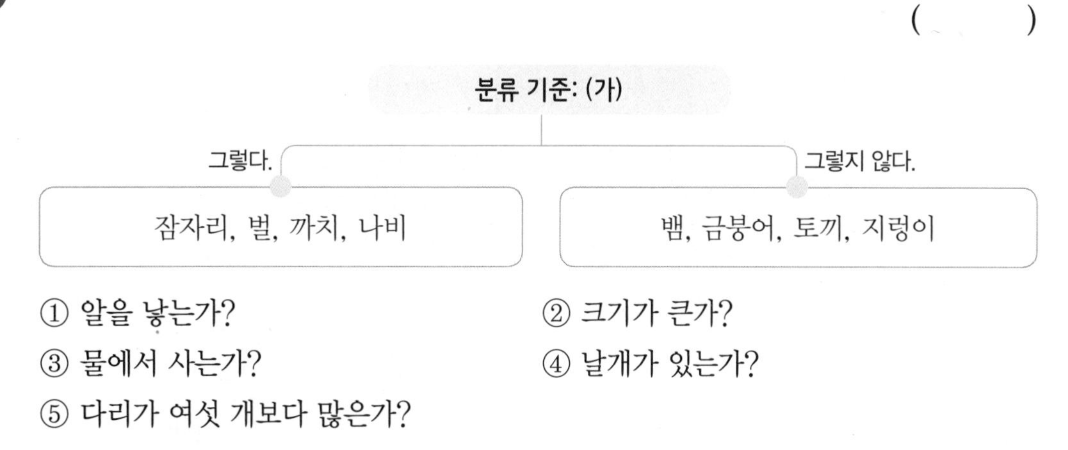

① 알을 낳는가?
② 크기가 큰가?
③ 물에서 사는가?
④ 날개가 있는가?
⑤ 다리가 여섯 개보다 많은가?

6 위 동물을 다음 표와 같이 더듬이가 있는 것과 없는 것으로 분류하였을 때, 잘못 분류한 동물을 모두 골라 써 봅시다.

더듬이가 있는 것	더듬이가 없는 것
잠자리, 벌, 뱀, 나비, 지렁이	까치, 금붕어, 토끼

(　　　　　　　　　　)

땅에서 사는 동물

탐구로 시작하기

땅에서 사는 동물의 생김새와 생활 방식 조사하기

과정 및 결과

1 땅에서 사는 동물에는 어떤 것이 있는지 이야기해 봅시다.

➜ 토끼, 고라니, 소, 다람쥐, 너구리, 공벌레, 개미, 뱀, 지렁이, 두더지, 땅강아지 등이 있습니다.

⊕ 생활 방식 사는 곳, 이동 방법 등을 말합니다.

2 땅에서 사는 동물의 생김새와 ⊕생활 방식을 조사해 봅시다.

토끼

생김새 몸이 털로 덮여 있습니다. 귀가 크고 길쭉하며, 꼬리가 짧습니다. 뒷다리가 앞다리보다 깁니다.

생활 방식 땅 위에서 삽니다. 다리로 걷거나 뛰어다닙니다.

고라니

생김새 몸이 털로 덮여 있습니다. 주둥이가 길쭉하며, 목과 다리가 길고, 꼬리가 짧습니다. 다리가 두 쌍이 있습니다.

생활 방식 땅 위에서 삽니다. 다리로 걷거나 뛰어다닙니다.

개미처럼 작은 동물은 확대경을 사용하여 자세히 관찰해요.

개미

생김새 몸이 머리, 가슴, 배로 구분됩니다. 더듬이가 한 쌍, 다리가 세 쌍이 있습니다.

생활 방식 땅 위와 땅속을 오가며 삽니다. 다리로 걸어 다닙니다.

지렁이

생김새 몸이 길고 원통 모양이며, 여러 개의 마디가 있습니다. 피부가 매끄럽고, 다리가 없습니다.

생활 방식 땅속에서 삽니다. 다리가 없어 기어 다닙니다.

➜ 동물의 생김새와 생활 방식은 사는 곳의 환경과 관련이 있습니다.

정리

땅에서 사는 동물은 어떤 방식으로 이동할까요?

➜ 다리가 있는 동물은 걷거나 뛰어다니고, 다리가 없는 동물은 기어 다닙니다.

개념 이해하기

1 땅에서 사는 동물

① 땅 위에서 사는 동물: 땅 위에는 토끼, 고라니, 소, 다람쥐, 너구리, 공벌레 등이 삽니다.

동물	사진	특징
소		• 몸이 털로 덮여 있습니다. • 머리에 뿔이 있습니다. • 꼬리가 있습니다. • 다리가 두 쌍이 있습니다. • 다리로 걷거나 뛰어다닙니다.
다람쥐		• 몸이 털로 덮여 있습니다. • 등에 줄무늬가 있고, 굵은 꼬리가 있습니다. • 볼에 먹이를 넣을 수 있는 주머니가 있습니다. (→ 볼주머니라고 합니다.) • 다리가 두 쌍이 있습니다. • 다리로 걷거나 뛰어다닙니다.
너구리		• 몸이 털로 덮여 있습니다. • 주둥이가 뾰족합니다. • 긴 꼬리가 있습니다. • 다리가 두 쌍이 있습니다. • 다리로 걷거나 뛰어다닙니다.
공벌레		• 몸에 여러 개의 마디가 있습니다. • 건드리면 몸을 공처럼 둥글게 만듭니다. • 다리가 일곱 쌍이 있습니다. • 다리로 걸어 다닙니다.

⊕ **주둥이** 동물의 머리에서 뾰족하게 나온 코나 입 주위의 부분

② 땅 위와 땅속을 오가며 사는 동물: 개미와 뱀 등은 땅 위와 땅속을 오가며 삽니다.

동물	사진	특징
뱀		• 몸이 길고 비늘로 덮여 있습니다. • 혀는 가늘고 길며 끝이 두 개로 갈라져 있습니다. • 다리가 없어서 기어 다닙니다.

③ 땅속에서 사는 동물: 땅속에는 지렁이, 두더지, 땅강아지 등이 삽니다.

두더지		• 몸이 털로 덮여 있습니다. • 눈은 작아서 거의 보이지 않고 주둥이가 깁니다. • 다리가 두 쌍이 있습니다. • 앞발이 삽처럼 넓적합니다. → 땅을 팔 수 있습니다. • 앞발을 이용해 땅속에서 굴을 파고 이동합니다.
땅강아지		• 몸이 머리, 가슴, 배로 구분됩니다. • 몸이 짧은 털로 덮여 있습니다. • 다리가 세 쌍이 있습니다. • 앞다리가 삽처럼 넓적합니다. → 땅을 팔 수 있습니다. • 앞다리를 이용해 땅속에서 굴을 파고 이동합니다.

→ 두더지와 땅강아지는 땅을 파기에 알맞은 앞다리가 있어서 땅속에서 살기에 편리합니다.

03 일차

2 땅에서 사는 동물의 이동 방법

① 다리가 있는 동물: 다리를 이용하여 걷거나 뛰어서 이동합니다.

② 다리가 없는 동물: 몸통으로 기어서 이동합니다.

땅에서 사는 동물은 다리의 유무에 따라 이동 방법이 달라요.

다리가 있어서 걷거나 뛰어서 이동합니다.

▲ 토끼

▲ 지렁이

다리가 없어서 기어서 이동합니다.

핵심 개념 확인하기

정답과 해설 • 2쪽

✔ **땅에서 사는 동물**

소, 다람쥐, 뱀, 너구리, 공벌레, 두더지, 땅강아지, 고라니, 지렁이, 토끼, 개미

땅 위에서 사는 동물	소, 다람쥐, 너구리, 공벌레, 고라니, ❶ □□
땅속에서 사는 동물	❷ □□□, 땅강아지, 지렁이
땅 위와 땅속을 오가며 사는 동물	뱀, ❸ □□

✔ **땅속에서 살기에 알맞은 특징**: 두더지와 ❹ □□□□는 땅을 파기에 알맞은 앞다리가 있어서 땅속에서 살기에 편리합니다.

✔ **땅에서 사는 동물의 이동 방법**

- 다리가 있는 동물은 걷거나 뛰어서 이동합니다.
- 다리가 없는 동물은 몸통으로 ❺ □□□ 이동합니다.

문제로 완성하기

땅에서 사는 동물의 특징

1 오른쪽 고라니에 대한 설명으로 옳지 않은 것은 어느 것입니까? (　　)

① 땅속에서 산다.　② 꼬리가 짧다.
③ 주둥이가 길쭉하다.　④ 몸이 털로 덮여 있다.
⑤ 다리가 두 쌍이 있다.

2~3 다음은 땅에서 사는 여러 가지 동물입니다.

㉠ ▲ 소　㉡ ▲ 땅강아지　㉢ ▲ 개미
㉣ ▲ 뱀　㉤ ▲ 다람쥐　㉥ ▲ 공벌레

2 위 동물 중 땅 위와 땅속을 오가며 사는 동물을 모두 골라 기호를 써 봅시다.

(　　　　　　)

3 위 동물 중 다음과 같은 특징이 있는 동물을 골라 기호를 써 봅시다.

- 몸이 털로 덮여 있다.
- 등에 줄무늬가 있고, 굵은 꼬리가 있다.
- 볼에 먹이를 넣을 수 있는 주머니가 있다.
- 다리가 두 쌍이 있고, 다리를 이용하여 걷거나 뛰어다닌다.

(　　　　　　)

4 땅에 사는 동물의 특징에 대한 설명으로 옳은 것은 어느 것입니까? (　　　)

① 다람쥐: 땅속에서 산다.
② 소: 몸이 깃털로 덮여 있다.
③ 토끼: 앞발이 삽처럼 넓적하다.
④ 뱀: 혀 끝이 두 개로 갈라져 있다.
⑤ 땅강아지: 다리가 없어서 기어 다닌다.

5 다음 땅강아지와 두더지의 공통점으로 옳은 것은 어느 것입니까? (　　　)

▲ 땅강아지

▲ 두더지

① 피부가 매끄럽다.
② 땅 위에서만 산다.
③ 다리가 세 쌍이 있다.
④ 몸통으로 기어 다닌다.
⑤ 땅을 파기에 알맞은 앞다리가 있다.

땅에서 사는 동물의 이동 방법

6 오른쪽 너구리가 땅에서 이동하는 방법으로 옳은 것은 어느 것입니까? (　　　)

① 날아다닌다.
② 기어 다닌다.
③ 걷거나 뛰어다닌다.
④ 미끄러지듯이 움직인다.
⑤ 몸을 둥글게 말고 굴러다닌다.

7 오른쪽 지렁이와 이동 방법이 같은 동물은 어느 것입니까? (　　　)

① 소
② 뱀
③ 토끼
④ 고라니
⑤ 다람쥐

물에서 사는 동물

탐구로 시작하기 물에서 사는 동물의 생김새와 생활 방식 조사하기

과정 및 결과

1 물에서 사는 동물에는 어떤 것이 있는지 이야기해 봅시다.

➜ 개구리, 수달, 자라, 도롱뇽, 붕어, 피라미, 물방개, 다슬기, 게, 조개, 갯지렁이, 전복, 고등어, 상어, 오징어, 돌고래 등이 있습니다.

2 물에서 사는 동물의 생김새와 생활 방식을 조사해 봅시다.

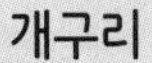

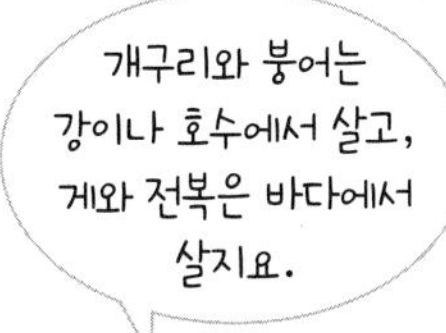

개구리

생김새 다리가 두 쌍이 있으며, 뒷다리가 앞다리보다 깁니다. 발에 ⊕물갈퀴가 있습니다.

생활 방식 강가나 호숫가에서 삽니다. 땅과 물을 오가며 살고, 땅에서는 뛰어다니고 물속에서는 헤엄쳐 다닙니다.

붕어

생김새 몸이 부드러운 곡선 모양이며, 비늘로 덮여 있습니다. 아가미와 지느러미가 있습니다.

생활 방식 강이나 호수의 물속에서 삽니다. 아가미로 숨을 쉬며, 지느러미로 헤엄쳐 다닙니다.

⊕ **물갈퀴** 오리, 개구리 등의 발가락 사이에 있는 막

게

생김새 딱딱한 껍데기로 덮여 있습니다. 다리는 다섯 쌍이 있으며, 그 중 집게발 한 쌍이 있습니다. 아가미가 있습니다.

생활 방식 갯벌에서 삽니다. 다리 네 쌍으로 걸어 다닙니다.

전복

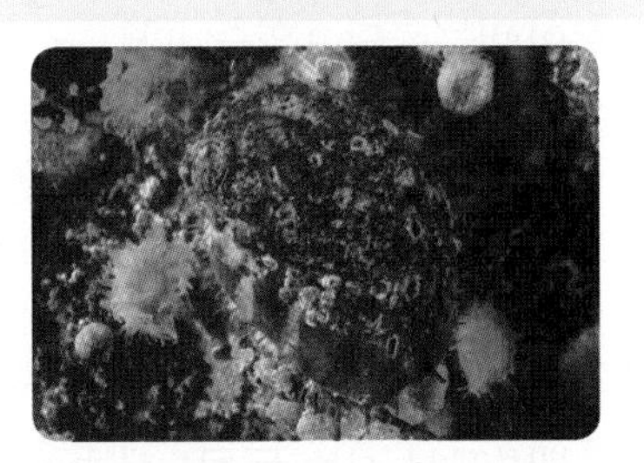

생김새 둥근 모양의 딱딱한 껍데기로 둘러싸여 있고, 껍데기에는 구멍이 나 있습니다. 아가미가 있습니다.

생활 방식 바닷속에서 삽니다. 물속 바위에 붙어서 기어 다닙니다.

정리

물에서 사는 동물은 어떤 방식으로 이동할까요?

➜ 붕어처럼 헤엄쳐 다니는 동물도 있고, 게처럼 걸어 다니는 동물도 있으며, 전복처럼 바위에 붙어서 기어 다니는 동물도 있습니다.

개념 이해하기

1 강이나 호수에서 사는 동물

① 강가나 호숫가에서 사는 동물: 강가나 호숫가에는 개구리, 수달, 자라, 도롱뇽 등이 땅과 물을 오가며 삽니다.

수달	자라	도롱뇽
• 몸이 길고 털로 덮여 있습니다. • 발가락에 물갈퀴가 있어 헤엄칠 수 있습니다.	• 딱딱한 등딱지와 배딱지가 있습니다. • 물갈퀴가 있는 발로 헤엄쳐 다닙니다.	• 몸이 길고 피부가 매끈합니다. • 두 쌍의 다리로 걸어 다닙니다.

수달, 오리 등은 털에 기름기가 있어 물에 잘 젖지 않아요.

② 강이나 호수의 물속에서 사는 동물: 강이나 호수의 물속에서는 붕어, 피라미, 물방개, 다슬기 등이 삽니다.

피라미	물방개	다슬기
• 몸이 비늘로 덮여 있습니다. • 아가미로 숨을 쉽니다. • 지느러미로 헤엄쳐 다닙니다.	• 다리가 세 쌍이 있습니다. • 뒷다리는 길고 털이 나 있습니다. • 다리로 헤엄쳐 다닙니다.	• 고깔 모양의 딱딱한 껍데기로 덮여 있습니다. • 물속 바닥이나 바위에 붙어서 기어 다닙니다.

2 바다에서 사는 동물

① ⊕갯벌에서 사는 동물: 갯벌에는 게, 조개, 갯지렁이 등이 삽니다.

조개	갯지렁이
• 딱딱한 껍데기로 둘러싸여 있습니다. • 도끼 모양의 발로 땅을 파고 들어가거나 기어 다닙니다. • 아가미로 숨을 쉽니다.	• 몸이 가늘고 깁니다. • 몸에 여러 개의 마디가 있습니다. • 털처럼 생긴 다리가 많이 있습니다.

⊕ **갯벌** 바닷물이 들어오면 물에 잠기고, 바닷물이 빠져나가면 드러나는 땅

② 바닷속에서 사는 동물: 바닷속에는 전복, 고등어, 상어, 오징어, 돌고래 등이 삽니다.

고등어	상어	오징어	돌고래
		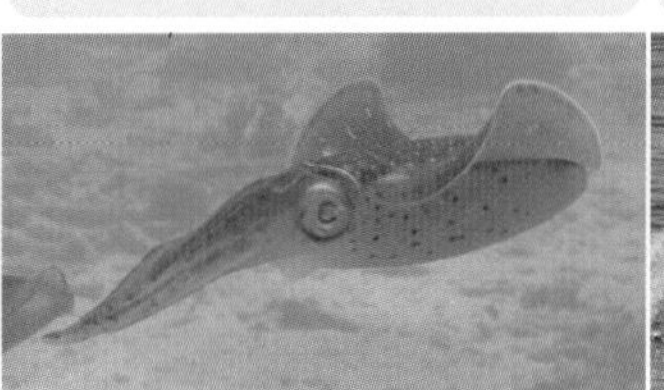	
• 몸이 부드러운 곡선 모양입니다. 부드럽게 굽은 형태라고도 합니다. • 몸이 비늘로 덮여 있습니다.	• 몸이 부드러운 곡선 모양입니다. • 몸이 비늘로 덮여 있습니다. • 날카로운 이빨이 있습니다.	• 몸이 긴 세모 모양입니다. • 머리쪽에 빨판이 달린 다리가 다섯 쌍이 있습니다.	• 몸이 부드러운 곡선 모양입니다. • 바닷속에서 살며 물 밖에서 입으로 숨을 쉽니다. • 지느러미로 헤엄쳐 다닙니다.
아가미로 숨을 쉬고, 지느러미로 헤엄쳐 다닙니다.			

3 물에서 사는 동물의 이동 방법

지느러미나 물갈퀴가 있는 발로 헤엄쳐서 이동하는 동물도 있고, 바위에 붙어 기어서 이동하는 동물도 있습니다. 또는 다리로 걸어서 이동하는 동물도 있습니다.

4 물에서 살기에 알맞은 특징

① 개구리, 수달, 자라는 발가락 사이에 물갈퀴가 있어 헤엄치기에 좋습니다.

② 붕어, 전복, 조개 등은 아가미가 있어 물속에서 숨을 쉴 수 있습니다.

③ 붕어, 고등어, 상어 등은 몸이 부드러운 곡선 모양(⊕유선형)이고 지느러미가 있어서 물속에서 헤엄을 잘 칠 수 있습니다.

⊕ **유선형** 물체의 앞과 뒤를 가늘게 하고 중간 부분을 볼록하게 하여 부드러운 곡선으로 잇는 형태

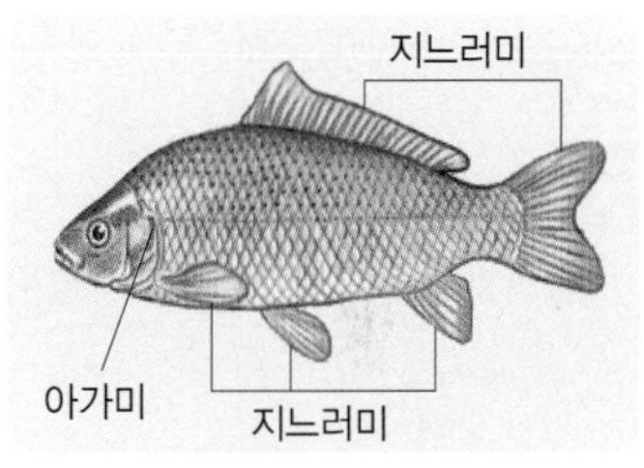

▲ 붕어의 생김새

핵심 개념 확인하기

정답과 해설 ● 3쪽

물에서 사는 동물

다슬기, 물방개, 수달, 자라, 조개, 오징어, 상어, 고등어, 붕어, 개구리, 게, 전복

강가나 호숫가에서 사는 동물	수달, 자라, ❶ ☐☐☐
강이나 호수의 물속에서 사는 동물	다슬기, 물방개, ❷ ☐☐
갯벌에서 사는 동물	❸ ☐☐, 게
바닷속에서 사는 동물	오징어, 상어, 고등어, ❹ ☐☐

물에서 살기에 알맞은 특징

• 개구리는 발가락 사이에 ❺ ☐☐☐가 있어 헤엄치기에 좋습니다.

• 조개는 ❻ ☐☐☐가 있어 물속에서 숨을 쉴 수 있습니다.

• 고등어는 몸이 부드러운 곡선 모양이고 ❼ ☐☐☐☐가 있어 헤엄을 잘 칠 수 있습니다.

문제로 완성하기

강이나 호수에서 사는 동물

1 **다음은 오른쪽 수달에 대한 설명입니다. (   ) 안에 알맞은 말을 각각 써 봅시다.**

> 수달은 강가나 호숫가에서 땅과 물을 오가며 산다. 수달은 몸이 (㉠)(으)로 덮여 있으며, 발가락에 (㉡)이/가 있어 헤엄치기에 좋다.

㉠: (   ) ㉡: (   )

2 **강이나 호수에서 사는 동물의 특징에 대한 설명으로 옳은 것은 어느 것입니까?** (   )

① 피라미: 아가미가 없다.
② 개구리: 물속에서만 산다.
③ 붕어: 몸이 각진 네모 모양이다.
④ 물방개: 지느러미로 헤엄쳐 다닌다.
⑤ 다슬기: 물속 바위에 붙어서 기어 다닌다.

바다에서 사는 동물

3 **바다의 갯벌에서 사는 동물은 어느 것입니까?** (   )

①

▲ 게

②

▲ 고등어

③

▲ 오징어

④

▲ 자라

⑤

▲ 다슬기

4 다음 조개와 전복의 공통점으로 옳은 것을 두 가지 골라 써 봅시다. (,)

▲ 조개 ▲ 전복

① 기어 다닌다. ② 갯벌에서 산다.
③ 지느러미가 있다. ④ 아가미로 숨을 쉰다.
⑤ 몸이 비늘로 덮여 있다.

5 오른쪽 상어에 대한 설명으로 옳지 않은 것은 어느 것입니까? ( )

① 아가미가 있다.
② 날카로운 이빨이 있다.
③ 몸이 비늘로 덮여 있다.
④ 지느러미로 헤엄쳐 이동한다.
⑤ 강이나 호수의 물속에서 산다.

물에서 사는 동물의 이동 방법

6 물갈퀴가 있는 발로 헤엄쳐서 이동하는 동물은 어느 것입니까? ( )

① 게 ② 피라미 ③ 돌고래
④ 개구리 ⑤ 오징어

물에서 살기에 알맞은 특징

7 붕어와 고등어가 물속에서 살기에 알맞은 특징으로 옳은 것을 보기 에서 골라 기호를 써 봅시다.

보기
㉠ 몸이 딱딱한 껍데기로 덮여 있어서 몸을 보호할 수 있다.
㉡ 다리가 여러 쌍이 있어서 물속에서 빠르게 걸어 다닐 수 있다.
㉢ 몸이 부드러운 곡선 모양이고 지느러미가 있어서 헤엄을 잘 칠 수 있다.

( )

날아다니는 동물

탐구로 시작하기 날아다니는 동물의 생김새와 생활 방식 조사하기

과정 및 결과

1 날아다니는 동물에는 어떤 것이 있는지 이야기해 봅시다.

➜ 황조롱이, 백로, 흰꼬리수리, 직박구리, 제비, 까치와 같은 새가 있습니다.
➜ 잠자리, 나비, 벌, 매미와 같은 곤충이 있습니다.
➜ 박쥐가 있습니다.

2 날아다니는 동물의 생김새와 생활 방식을 조사해 봅시다.

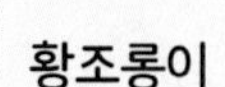

황조롱이		**생김새** 몸은 갈색이고, 등에 짙은 색 반점이 있습니다. 부리는 짧고 끝이 휘어졌습니다. 날개가 있습니다. **생활 방식** 집 주변이나 산에서 삽니다. 날개를 이용해 날아다닙니다. 쥐나 두더지 같은 작은 동물, 작은 새, 곤충 등을 먹습니다.
백로		**생김새** 몸이 흰색이고, 길고 뾰족한 부리가 있습니다. 목과 다리가 길고, 커다란 날개가 있습니다. **생활 방식** 강, 호수, 논, 갯벌에서 삽니다. 가까운 거리는 걸어 다니고 먼 거리는 날아서 이동합니다. 나무 위에 둥지를 만듭니다.
잠자리		**생김새** 몸이 가늘고 깁니다. 몸이 머리, 가슴, 배로 구분됩니다. 얇고 투명한 날개가 두 쌍이 있고, 다리가 세 쌍이 있습니다. 매우 짧은 더듬이가 한 쌍이 있습니다. **생활 방식** 집 주변이나 물가에서 삽니다. 공중에서 멈춰서 날 수 있고, 빨리 날 수도 있습니다.

정리

황조롱이, 백로, 잠자리의 생김새에서 날아다니는 것과 관련된 특징은 무엇일까요?

➜ 날개가 있어서 날개를 이용해 날아다닙니다.

개념 이해하기

1 날아다니는 동물

① 날아다니는 새: 황조롱이, 백로, 흰꼬리수리, 직박구리, 제비, 까치와 같은 새는 날개가 있어 날개를 이용하여 날아다닙니다.

새는 뼛속이 비어 있어 몸이 가볍기 때문에 날아다니기 좋아요.

흰꼬리수리		• 몸은 전체적으로 갈색을 띠지만 날개깃은 검은색, 꽁지깃은 흰색입니다. • 발톱이 날카로우며, 부리는 날카로운 갈고리 모양입니다. • 사방이 트인 숲이나 절벽, 바닷가 등에서 삽니다.
직박구리		• 몸 전체가 회색이고, 귀 근처에 무늬가 있습니다. • 부리는 곧고 검은색입니다. • 곤충이나 식물의 열매를 먹습니다. • 집 주변이나 산에서 삽니다.
제비		• 머리와 등 위쪽은 검은색이고 아랫면은 흰색입니다. • 날아다니는 곤충을 잡아먹습니다. • 집 주변이나 공원에서 삽니다.
까치		• 몸이 검은색과 흰색 깃털로 덮여 있으며, 꽁지깃이 검고 깁니다. • 부리는 짧고 단단합니다. • 곤충이나 나무 열매를 먹습니다. • 나무 위에 ⊕둥지를 만듭니다.

펭귄이나 타조처럼 날개가 있지만 날지 못하는 새도 있어요.

⊕ **둥지** 새가 알을 낳거나 깃들어 사는 보금자리

② 박쥐: 박쥐는 몸의 일부가 변한 날개로 날아다닙니다.

박쥐		• 다리는 두 쌍이 있고 피부가 늘어나서 만들어진 ⊕비막이 있습니다. • 발가락에 갈고리 모양의 발톱이 있어서 거꾸로 매달려 있을 수 있습니다. • 곤충 등 작은 동물을 먹습니다. ⊕ **비막** 동물의 앞다리, 몸쪽, 뒷다리에 걸쳐 쳐진 막

• 박쥐는 앞발의 발가락이 길게 발달하여 발가락 사이와 발가락과 뒷다리 사이의 피부가 늘어나 얇은 비막을 형성합니다.

③ 날아다니는 곤충: 잠자리, 나비, 벌, 매미와 같은 곤충은 날개가 있어 날개를 이용하여 날아다닙니다.

나비		• 몸이 머리, 가슴, 배로 구분됩니다. • 날개 두 쌍, 다리 세 쌍, 더듬이 한 쌍이 있습니다. • 대롱 모양의 입으로 꿀을 빨아 먹습니다. • 산이나 들에서 삽니다.
벌		• 몸이 머리, 가슴, 배로 구분됩니다. • 날개 두 쌍, 다리 세 쌍, 더듬이 한 쌍이 있습니다. • 몸에 털이 있고 빨대 모양의 입이 있으며, 배 끝에 침이 있습니다. • 산이나 들에서 삽니다.
매미		• 몸이 머리, 가슴, 배로 구분됩니다. • 머리가 크고 더듬이가 있습니다. • 투명한 날개 두 쌍과 다리 세 쌍이 있습니다. • 나무 위에서 나무즙을 먹으며 삽니다.

05 일차

2 날아다니는 동물이 날 수 있는 까닭

날아다니는 새와 곤충은 날개가 있어서 날아서 이동할 수 있습니다.

핵심 개념 확인하기

정답과 해설 • 4쪽

✔ 날아다니는 동물

구분	동물	특징
날아다니는 새	황조롱이, 백로, 흰꼬리수리, 직박구리, 제비, 까치	• 몸이 깃털로 덮여 있고, 부리가 있습니다. • ❶ ☐ 쌍의 날개가 있습니다. • 날개를 이용해 날아다닙니다.
날아다니는 곤충	잠자리, 나비, 벌, ❷ ☐☐	• 몸이 머리, 가슴, ❸ ☐ 로 구분됩니다. • 다리가 ❹ ☐ 쌍이 있습니다. • ❺ ☐ 쌍의 날개가 있습니다. • 날개를 이용해 날아다닙니다.
박쥐		피부가 늘어나서 만들어진 비막이 있습니다.

✔ 날아다니는 동물이 날 수 있는 까닭

- 날아다니는 새와 곤충은 ❻ ☐☐ 가 있어서 날아다닙니다.
- 박쥐는 몸의 일부가 변한 날개로 날아다닙니다.

문제로 완성하기

날아다니는 동물

1 **날아다니는 동물이 아닌 것은 어느 것입니까?** (　　)

①

▲ 제비

②

▲ 나비

③

▲ 거미

④

▲ 직박구리

⑤

▲ 박쥐

2 **날아다니는 동물의 특징에 대한 설명으로 옳지 않은 것은 어느 것입니까?** (　　)

① 매미: 머리가 크고 더듬이가 있다.

② 황조롱이: 부리가 곧고 검은색이다.

③ 잠자리: 얇고 투명한 날개로 날아다닌다.

④ 박쥐: 피부가 늘어나서 만들어진 비막이 있다.

⑤ 제비: 머리와 등 위쪽은 검은색이고 아랫면은 흰색이다.

날아다니는 새

3 **오른쪽 백로에 대한 설명으로 옳지 않은 것은 어느 것입니까?** (　　)

① 나무 위에 둥지를 만든다.

② 길고 뾰족한 부리가 있다.

③ 강, 호수, 논, 갯벌에서 산다.

④ 목과 다리가 길고, 커다란 날개가 있다.

⑤ 몸 전체가 회색이고, 귀 근처에 무늬가 있다.

4 다음에서 설명하는 동물을 보기 에서 골라 기호를 써 봅시다.

- 몸이 검은색과 흰색 깃털로 덮여 있으며, 꽁지깃이 검고 길다.
- 부리는 짧고 단단하다.
- 한 쌍의 날개로 날아다닌다.
- 나무 위에 둥지를 만든다.

보기

㉠ 나비　　㉡ 까치　　㉢ 흰꼬리수리

(　　　　　　)

날아다니는 곤충

5 다음 동물들의 공통점으로 옳은 것을 두 가지 골라 써 봅시다. (　　　,　　　)

▲ 잠자리

▲ 매미

▲ 벌

① 기어 다닌다.
② 날개가 두 쌍이 있다.
③ 다리가 세 쌍이 있다.
④ 몸이 깃털로 덮여 있다.
⑤ 몸이 머리와 배의 두 부분으로 구분된다.

날아다니는 동물이 날 수 있는 까닭

6 새와 곤충이 날 수 있는 까닭으로 옳은 것을 보기 에서 골라 기호를 써 봅시다.

보기

㉠ 날개가 있다.
㉡ 지느러미와 아가미가 있다.
㉢ 다리가 길고 빠르게 움직이는 편이다.

(　　　　　　)

사막이나 극지방에서 사는 동물

탐구로 시작하기 사막이나 극지방에서 사는 동물의 생김새와 특징 조사하기

06 일차 월 일 공부한 날

과정 및 결과

1 사막이나 극지방의 환경은 어떤지 이야기해 봅시다.

➜ 사막은 비가 거의 내리지 않아 매우 건조합니다.

➜ 극지방은 눈과 얼음으로 덮여 있고 매우 춥습니다.

2 사막이나 극지방에서 사는 동물에는 어떤 것이 있는지 이야기해 봅시다.

➜ 사막에는 낙타, 사막여우, 사막 도마뱀, 사막 딱정벌레, 뱀 등이 삽니다.

➜ 극지방에는 북극곰, 북극여우, 바다코끼리, 순록, 펭귄 등이 삽니다.

3 사막이나 극지방에서 사는 동물의 생김새와 특징을 조사해 봅시다.

낙타 (사막)

생김새 등에 혹이 있고, 발바닥이 넓습니다. 속눈썹이 길고, 콧구멍을 열고 닫을 수 있습니다.

특징
- 등에 있는 혹에 지방을 저장하고 있어 먹이가 없어도 며칠 동안 생활할 수 있습니다.
- 발바닥이 넓어 발이 모래에 잘 빠지지 않습니다.
- 속눈썹이 길고 콧구멍을 열고 닫을 수 있어서 모래 먼지가 눈과 콧속으로 들어가는 것을 막을 수 있습니다.

북극곰 (극지방)

생김새 몸이 흰색 털로 촘촘하게 덮여 있으며 발바닥에도 털이 많이 있습니다. 몸집이 크며, 귀와 꼬리가 작고 뭉툭합니다.

특징
- 몸에 털이 촘촘하게 덮여 있어 추위를 잘 견딜 수 있습니다.
- 몸집이 크고 귀가 작아 추운 환경에서 체온을 유지할 수 있습니다.
- 털 색깔이 북극의 눈 색깔과 비슷해 다른 동물의 눈에 잘 띄지 않습니다. → 먹잇감의 눈에 잘 띄지 않아 사냥에 유리합니다.

정리

낙타와 북극곰은 각각 어떤 환경에서 잘 살 수 있는 특징이 있을까요?

➜ 낙타는 물이 매우 적고 모래가 많은 사막의 환경에서 잘 살 수 있는 특징이 있습니다.

➜ 북극곰은 매우 추운 극지방의 환경에서 잘 살 수 있는 특징이 있습니다.

개념 이해하기

1 사막에서 사는 동물

① 사막의 환경

- 비가 거의 내리지 않아 물이 매우 적습니다.
- 낮에는 덥고 밤에는 매우 춥습니다.
- 모래바람이 강하게 붑니다.

모래바람 모래와 함께 휘몰아치는 바람

사막은 낮과 밤의 온도 차이가 매우 커요.

② 사막에서 사는 동물: 사막에는 낙타, 사막여우, 사막 도마뱀, 사막 딱정벌레, 뱀 등이 삽니다. 사막에서 사는 동물들은 건조하고 더운 환경에서도 잘 살 수 있는 특징이 있습니다.

사막여우		• 몸이 옅은 황갈색 털로 덮여 있습니다. • 귀가 커서 몸속의 열을 밖으로 내보내 체온 조절을 하고, 작은 소리도 잘 들을 수 있습니다.
사막 도마뱀 가시 도마뱀이라고도 합니다.		• 몸에 뾰족한 뿔(가시라고도 합니다.)들이 있고 꼬리가 깁니다. • 피부로 물을 흡수할 수 있습니다. • 축축한 모래 속으로 들어가 피부로 물을 흡수하여 입으로 흘려보냅니다.
사막 딱정벌레		• 몸이 머리, 가슴, 배로 구분됩니다. • 다리가 세 쌍이 있으며 몸에 돌기가 있습니다. • 물구나무를 서서 몸에 있는 돌기에 맺힌 물을 입으로 흘려보냅니다.
뱀		• 몸이 가늘고 깁니다. • 뜨거운 모래에 몸이 최대한 닿지 않게 몸의 일부를 들고 기어서 이동합니다.

2 극지방에서 사는 동물

① 극지방의 환경

- 매우 춥습니다.
- 눈이나 얼음이 많습니다.

② 극지방에서 사는 동물: 북극에는 북극곰, 북극여우, 바다코끼리, 순록 등이 살고, 남극에는 펭귄 등이 삽니다. 극지방에서 사는 동물들은 추운 환경에서도 잘 살 수 있는 특징이 있습니다. → 극지방에서 사는 동물들은 보온이 잘 되는 털이나 두꺼운 피부를 가지고 있습니다.

동물	사진	특징
북극여우		• 털이 두껍고 촘촘하게 나 있습니다. • 귀가 작아서 몸의 열을 쉽게 빼앗기지 않습니다. • 계절에 따라 털 색깔이 변하며, 겨울철에는 털 색깔이 흰색입니다. → 눈에 잘 띄지 않아 사냥에 유리합니다.
바다코끼리		• 두 개의 긴 이빨이 있고 피부가 두껍습니다. • 자는 동안 긴 이빨을 얼음에 박아 몸이 미끄러지지 않게 고정합니다. • 얼음 위로 올라가거나 얼음에 구멍을 뚫어 먹잇감을 찾을 때에도 긴 이빨을 사용합니다.
순록		• 몸의 위쪽은 긴털, 아래쪽은 솜털로 덮여 있습니다. • 코끝이 털로 덮여 있어 체온을 유지하기 좋고 눈 속에서 먹이를 찾을 때 도움이 됩니다. • ⊕발굽이 넓고 편평하여 발이 눈에 잘 빠지지 않습니다. ⊕ **발굽** 소나 말과 같은 동물의 발 끝에 있는 크고 단단한 발톱
펭귄		• 몸이 깃털로 덮여 있으며, 깃털 밑의 피부가 매우 두꺼워 추위를 견딜 수 있습니다. • 무리 지어 생활하며 서로 몸을 바짝 맞대 추위를 견딥니다.

핵심 개념 확인하기

정답과 해설 ● 4쪽

✔ 사막에서 사는 동물의 특징

동물	특징
낙타	• 등의 ❶ ☐에 지방을 저장하여 먹이가 없어도 며칠 동안 생활할 수 있습니다. • 발바닥이 넓어 발이 ❷ ☐☐에 잘 빠지지 않습니다. • 콧구멍을 열고 닫을 수 있어 콧속으로 모래가 들어가는 것을 막을 수 있습니다.
❸ ☐☐여우	귀가 커서 몸속의 열을 밖으로 내보냅니다.
사막 도마뱀	❹ ☐☐로 물을 흡수하여 입으로 흘려보냅니다.

✔ 극지방에서 사는 동물의 특징

동물	특징
북극곰	• 몸에 털이 촘촘하게 덮여 있어 추위를 잘 견딜 수 있습니다. • 몸집이 ❺ ☐고 귀가 ❻ ☐☐서 체온을 유지할 수 있습니다.
❼ ☐☐여우	귀가 작아서 몸속의 열을 쉽게 빼앗기지 않습니다.

문제로 완성하기

사막과 극지방의 환경

1 **다음에서 설명하는 지역은 사막과 극지방 중 어디인지 써 봅시다.**

- 비가 거의 내리지 않아 물이 매우 적다.
- 낮에는 덥고 밤에는 매우 춥다.
- 모래바람이 강하게 분다.

( )

사막에서 사는 동물

2 **사막에서 사는 동물이 아닌 것은 어느 것입니까?** ( )

① ▲ 사막여우

② 

▲ 뱀

③ 

▲ 사막 딱정벌레

④ 

▲ 사막 도마뱀

⑤ 

▲ 펭귄

3 **오른쪽 낙타가 사막에서 잘 살 수 있는 특징으로 옳지 않은 것은 어느 것입니까?** ( )

① 발바닥이 넓어 발이 모래에 잘 빠지지 않는다.
② 속눈썹이 길어 눈으로 모래가 들어가는 것을 막는다.
③ 몸에 돌기가 있어 돌기에 맺힌 물을 입으로 흘려보낸다.
④ 콧구멍을 열고 닫을 수 있어 콧속으로 모래가 들어가는 것을 막는다.
⑤ 등의 혹에 지방을 저장하고 있어 먹이가 없어도 며칠 동안 생활할 수 있다.

극지방에서 사는 동물

4 **오른쪽 북극곰이 극지방에서 잘 살 수 있는 특징으로 옳은 것을 보기 에서 모두 골라 기호를 써 봅시다.**

보기

㉠ 몸에 털이 촘촘하게 덮여 있어 추위를 잘 견딜 수 있다.
㉡ 몸집이 작고 귀가 커서 추운 환경에서 체온을 유지할 수 있다.
㉢ 털 색깔이 북극의 눈 색깔과 비슷해 다른 동물의 눈에 잘 띄지 않는다.

( )

사막이나 극지방에서 사는 동물

5 **다음은 사막여우와 북극여우의 특징을 비교한 것입니다. ( ) 안에 알맞은 말을 각각 써 봅시다.**

▲ 사막여우

▲ 북극여우

사막여우는 귀가 (㉠)서 몸속의 열을 밖으로 내보내기 쉽고, 북극여우는 귀가 (㉡)서 몸속의 열을 쉽게 빼앗기지 않는다.

㉠: ( ) ㉡: ( )

6 **사막이나 극지방에서 사는 동물의 특징에 대한 설명으로 옳지 않은 것은 어느 것입니까?** ( )

① 사막 도마뱀: 피부로 물을 흡수하여 입으로 흘려보낸다.
② 순록: 코끝이 털로 덮여 있어 몸의 열을 밖으로 잘 내보낸다.
③ 펭귄: 무리 지어 생활하며 서로 몸을 바짝 맞대 추위를 견딘다.
④ 바다코끼리: 두 개의 긴 이빨로 얼음에 구멍을 뚫어 먹잇감을 찾는다.
⑤ 사막에 사는 뱀: 모래에 몸이 최대한 닿지 않게 몸의 일부를 들고 이동한다.

07 일차

동물의 특징을 활용한 예

탐구로 시작하기 동물의 특징을 생활에서 활용한 예 조사하기

과정 및 결과

문어 다리의 빨판을 모방하여 벽에 붙는 칫솔걸이도 만들었어요.

활동 1 문어의 특징을 활용한 예

1 문어 사진과 흡착식 걸이를 관찰해 보고, 어떤 공통점이 있는지 이야기해 봅시다.

구분	문어	흡착식 걸이
특징	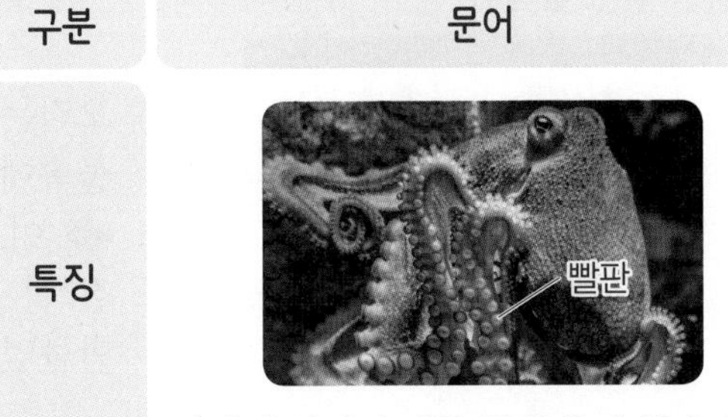 빨판이 있어서 다른 물체에 잘 붙습니다.	 흡착판이 있어서 벽에 잘 붙습니다.
공통점	문어와 흡착식 걸이 모두 다른 물체에 잘 붙습니다.	

2 흡착식 걸이는 문어의 어떤 특징을 활용하여 만든 것인지 이야기해 봅시다.

➔ 문어 다리의 빨판이 다른 물체에 잘 붙는 특징을 활용하여 흡착판이 있어 벽에 붙는 흡착식 걸이를 만들었습니다.

활동 2 산천어의 특징을 활용한 예

1 산천어 사진과 고속 열차 사진을 관찰해 보고, 어떤 공통점이 있는지 이야기해 봅시다.

구분	산천어	고속 열차
특징	 몸이 부드러운 곡선 모양이어서 빠르게 헤엄칠 수 있습니다.	 앞부분이 부드러운 곡선 모양이어서 빠르게 달릴 수 있습니다.
공통점	산천어와 고속 열차 모두 빠르게 이동합니다.	

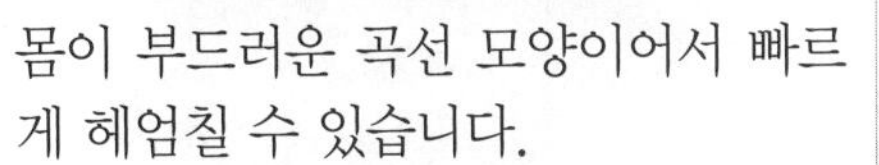

부드러운 곡선 모양이어서 물이나 공기로부터 힘을 덜 받아 빠르게 이동할 수 있습니다.

2 고속 열차는 산천어의 어떤 특징을 활용하여 만든 것인지 이야기해 봅시다.

➔ 산천어의 몸이 부드러운 곡선 모양이어서 빠르게 헤엄칠 수 있는 특징을 활용하여 빠르게 달릴 수 있는 고속 열차를 만들었습니다.

정리

동물의 특징을 생활에서 활용한 예에는 어떤 것들이 있을까요?

➔ 벽에 붙는 흡착식 걸이, 빠르게 달리는 고속 열차, 헤엄을 잘 칠 수 있게 해 주는 물갈퀴, 물건을 집어 옮길 수 있는 집게 차 등이 있습니다.

개념 이해하기

1 동물의 특징을 생활에서 활용한 예

⊕ 활용 충분히 잘 이용하는 것

동물의 특징을 활용하여 물건을 만들어 우리 생활에서 이용하고 있습니다.

오리 발

물갈퀴

오리는 발가락 사이에 막이 있어 물속에서 헤엄을 잘 칩니다.
➔ 이 특징을 활용하여 헤엄을 잘 칠 수 있게 해 주는 물갈퀴를 만들었습니다.

상어 피부

전신 수영복

상어의 피부에는 작은 돌기가 많이 있어 물이 잘 흐르게 합니다.
➔ 이 특징을 활용하여 빠르게 헤엄칠 수 있게 해 주는 전신 수영복을 만들었습니다.

산양 발바닥

등산화

산양 발굽은 안쪽으로 말랑해서 바위에 발굽이 빈틈없이 붙을 수 있습니다.

산양의 발바닥은 가파른 바위에서 잘 미끄러지지 않습니다.
➔ 이 특징을 활용하여 가파른 산길에서도 잘 미끄러지지 않는 등산화 밑창을 만들었습니다.

수리 발

집게 차

수리의 발은 먹이를 잘 잡고 놓치지 않습니다.
➔ 이 특징을 활용하여 물건을 집어 옮길 수 있는 집게 차를 만들었습니다.

혹등고래 지느러미

에어컨 실외기 날개

혹등고래는 지느러미에 혹이 있어 물속에서 방향을 바꿀 때 생기는 ⊕소용돌이가 적습니다.
➜ 이 특징을 활용하여 소음이 적고 효율적인 에어컨 실외기 날개를 만들었습니다.

⊕ **소용돌이** 물이 빙빙 돌면서 흐르는 현상

07 일차

2 동물의 특징을 활용한 로봇

동물의 생김새나 특징을 활용하여 로봇을 만들기도 합니다.

거북은 네 개의 다리를 이용해 상하좌우로 헤엄칠 수 있습니다.

거북

거북의 특징을 활용하여 물속에서 자유롭게 움직일 수 있게 만든 탐사 로봇입니다.

소금쟁이는 물 위를 미끄러지듯이 이동할 수 있습니다.

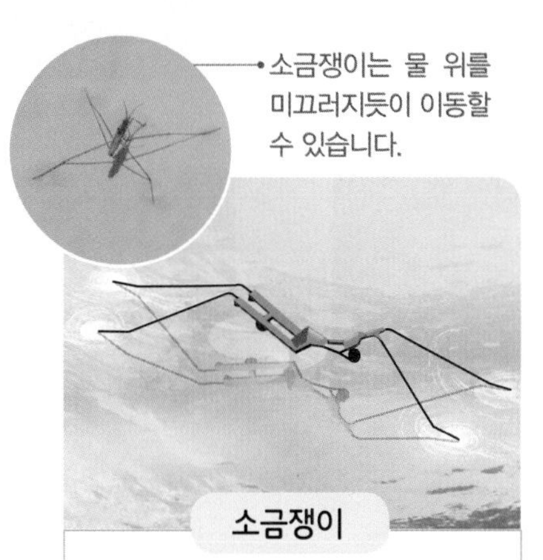

소금쟁이

소금쟁이의 특징을 활용하여 물 위에서도 움직일 수 있게 만든 로봇입니다.

뱀은 좁은 공간을 기어서 이동할 수 있습니다.

뱀

뱀의 특징을 활용하여 건물이 무너지거나 지진이 났을 때 좁은 공간을 살필 수 있게 만든 로봇입니다.

핵심 개념 확인하기

정답과 해설 • 4쪽

✔ 동물의 특징을 생활에서 활용한 예

동물	동물의 특징	생활에서 활용한 예
문어	다리에 ❶ ☐☐이 있습니다.	벽에 붙는 흡착식 걸이
산천어	몸이 부드러운 곡선 모양입니다.	빠르게 달리는 ❷ ☐☐ ☐☐
오리	발가락 사이에 막이 있습니다.	❸ ☐☐☐
❹ ☐☐	피부에 작은 돌기가 많이 있습니다.	전신 수영복
산양	바위에서 잘 미끄러지지 않습니다.	잘 미끄러지지 않는 등산화 밑창
수리	먹이를 잘 잡고 놓치지 않습니다.	❺ ☐☐ ☐
혹등고래	지느러미에 혹이 있습니다.	소음이 적은 에어컨 실외기 날개

문제로 완성하기

동물의 특징을 생활에서 활용한 예

1 **오른쪽 흡착식 걸이는 흡착판이 있어서 벽에 붙일 수 있습니다. 이것은 어떤 동물의 특징을 활용한 것입니까?** (　　　)

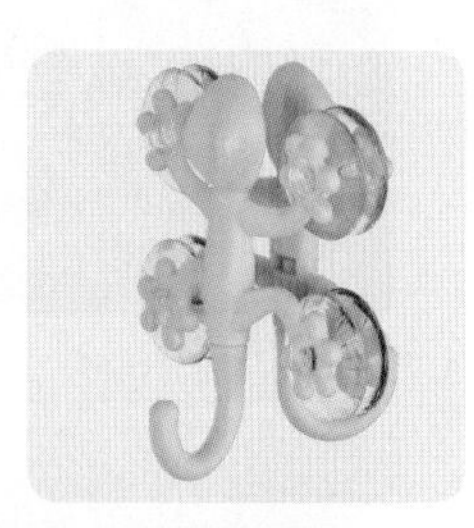

① 
▲ 개구리

② 
▲ 문어

③ 
▲ 거북

④ 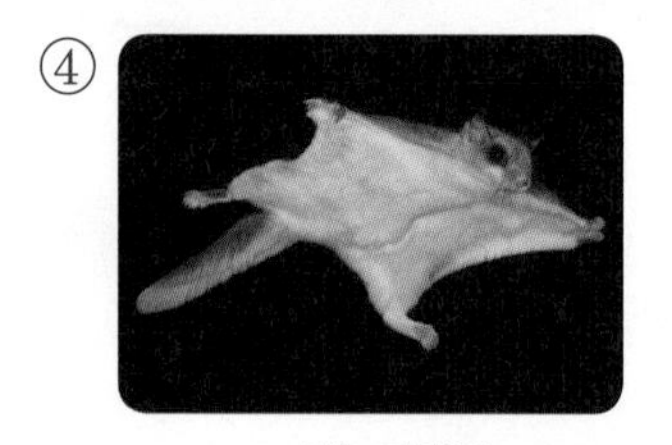
▲ 하늘다람쥐

⑤ 
▲ 산천어

2 **오른쪽 물갈퀴는 오리 발의 어떤 특징을 활용하여 만든 것입니까?** (　　　)

① 다른 물체에 잘 붙는다.
② 물속에서 헤엄을 잘 칠 수 있다.
③ 몸에 물이 들어오지 않게 막는다.
④ 물속에서 생기는 소용돌이가 적다.
⑤ 걸을 때 발이 모래 속으로 빠지지 않는다.

3 **다음은 어떤 동물의 특징을 생활에서 활용한 예입니다. (　　) 안에 알맞은 동물을 써 봅시다.**

> (　　　)은/는 발굽의 안쪽이 말랑말랑해서 바위에 발굽이 빈틈없이 붙을 수 있기 때문에 가파른 바위에서도 잘 미끄러지지 않는다. 이러한 특징을 활용하여 가파른 산길에서도 잘 미끄러지지 않는 등산화 밑창을 만들었다.

(　　　　　　　　)

4 **오른쪽 수리의 발은 먹이를 잘 잡고 놓치지 않는 특징이 있습니다. 이러한 특징을 활용하여 만든 것은 어느 것입니까?** (　　　)

① 물갈퀴　② 집게 차
③ 흡착식 걸이　④ 고속 열차
⑤ 전신 수영복

5 **동물의 특징을 우리 생활에서 활용한 예를 옳게 짝 지은 것을 보기 에서 골라 기호를 써 봅시다.**

보기
㉠ 산천어의 몸 – 고속 열차
㉡ 문어 다리의 빨판 – 집게 차
㉢ 상어의 피부 – 에어컨 실외기 날개
㉣ 혹등고래의 지느러미 – 전신 수영복

(　　　　　　　　)

동물의 특징을 활용한 로봇

6 **오른쪽과 같이 좁은 공간을 살피는 로봇은 뱀의 어떤 특징을 활용하여 만든 것입니까?** (　　　)

① 땅을 잘 팔 수 있다.
② 먹이를 잘 잡고 놓치지 않는다.
③ 혀로 냄새를 맡아 먹이를 찾는다.
④ 물속에서 자유롭게 움직일 수 있다.
⑤ 좁은 공간을 기어서 이동할 수 있다.

스스로 정리하기

특별 부록 

정답과 해설 • 5쪽

다음에서 밑줄에 들어갈 문장을 골라 써서 생각 그물을 완성해 보세요.

- 날개가 있는가?
- 다리가 있는가?
- 기어서 이동한다.
- 날개가 있어 날아서 이동한다.
- 문어 다리의 빨판의 특징을 활용한 것이다.
- 추운 환경에서도 잘 살 수 있는 특징이 있다.

동물의 생활

특징에 따른 동물 분류

분류 기준: ❶ ________

그렇다.	그렇지 않다.
참새, 거미, 벌, 토끼	금붕어, 지렁이

분류 기준: ❷ ________

그렇다.	그렇지 않다.
참새, 벌	거미, 금붕어, 지렁이, 토끼

환경에 따른 동물의 특징

- 땅에서 사는 동물: 고라니는 다리로 걷거나 뛰어서 이동하고, 뱀은 ❸ ________

고라니

뱀

- 물에서 사는 동물: 붕어는 지느러미로 헤엄쳐 이동하고, 전복은 바위에 붙어 기어서 이동한다.

붕어

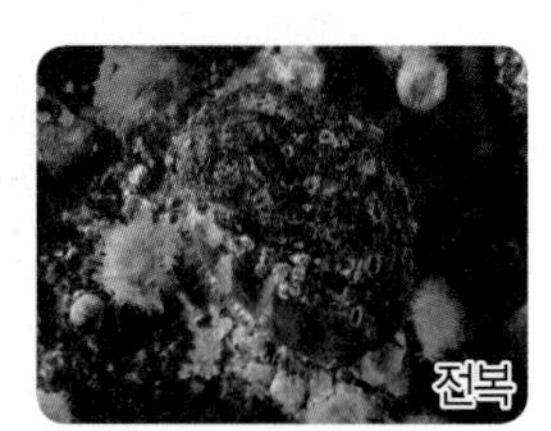
전복

- 날아다니는 동물: 날아다니는 새와 곤충은 ❹ ________
- 사막에서 사는 동물은 건조하고 더운 환경에서도 잘 살 수 있는 특징이 있고, 극지방에서 사는 동물은 ❺ ________

동물의 특징을 활용한 예

- 흡착식 걸이의 흡착판은 ❻ ________
- 물갈퀴는 오리 발의 특징을 활용한 것이다.

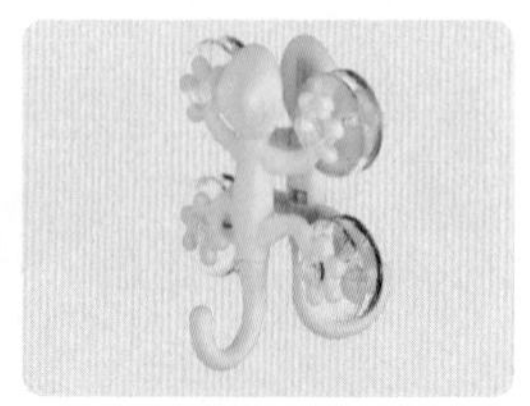
▲ 흡착식 걸이

▲ 물갈퀴

단원 평가하기

(맞은 개수 개)

정답과 해설 • 5쪽

1 다음 설명에 해당하는 동물은 어느 것입니까? ( )

- 볼 수 있는 곳: 화단
- 특징: 몸이 머리가슴과 배의 두 부분으로 구분되며, 다리는 네 쌍이 있다.

① 

▲ 공벌레

② 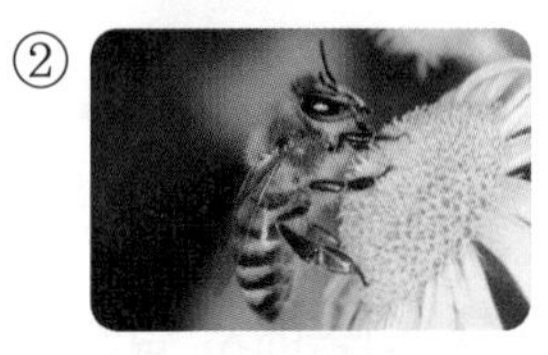
▲ 벌

③ 
▲ 거미

④ 
▲ 지렁이

서술형

2 오른쪽 나비의 특징을 두 가지 써 봅시다.

3 다음 동물을 다리의 개수에 따라 두 무리로 분류할 때, 나머지와 같은 무리로 분류할 수 없는 것은 어느 것입니까? ( )

① 

▲ 개구리

② 
▲ 까치

③ 
▲ 고양이

④ 
▲ 토끼

중요

4 동물을 다음과 같이 분류한 기준으로 옳은 것은 어느 것입니까? ( )

나비, 뱀, 개구리	토끼, 고양이, 다람쥐

① 알을 낳는가?
② 더듬이가 있는가?
③ 다른 동물을 먹는가?
④ 물속에서 살 수 있는가?
⑤ 몸이 깃털로 덮여 있는가?

5 다음 표는 동물을 날개의 유무에 따라 분류한 결과입니다. 오른쪽 금붕어는 ㉠과 ㉡ 중 어느 무리로 분류해야 하는지 골라 기호를 써 봅시다.

㉠	㉡
참새, 벌, 잠자리	뱀, 거미, 공벌레

( )

중요

6 오른쪽 두더지의 특징으로 옳은 것은 어느 것입니까? ( )

① 날개가 있다.
② 큰 눈으로 먹이를 찾는다.
③ 앞발로 땅속에 굴을 판다.
④ 몸에 여러 개의 마디가 있다.
⑤ 몸이 머리, 가슴, 배로 구분된다.

서술형

7 땅에서 사는 동물 중 다리가 없는 동물은 어떻게 이동하는지 써 봅시다.

8 땅에서 사는 동물의 특징을 잘못 설명한 사람의 이름을 써 봅시다.

- 은빈: 모두 새끼를 낳아.
- 재하: 땅 위와 땅속을 오가며 사는 동물도 있어.
- 서진: 다리가 있는 동물은 걷거나 뛰어서 이동해.

(　　　　　　　　)

중요

9 바닷속에서 사는 동물들끼리 옳게 짝 지은 것은 어느 것입니까? (　　　)

① 붕어, 물방개　② 자라, 오징어
③ 수달, 개구리　④ 상어, 돌고래
⑤ 다슬기, 고등어

서술형

10 다음 붕어와 고등어의 이동 방법을 두 동물의 공통적인 생김새와 관련지어 써 봅시다.

▲ 붕어

▲ 고등어

11 물에서 살기에 알맞은 동물의 특징으로 옳은 것을 보기 에서 모두 골라 기호를 써 봅시다.

보기
㉠ 물방개는 삽처럼 넓적한 앞다리가 있다.
㉡ 조개는 아가미가 있어 물속에서 숨을 쉴 수 있다.
㉢ 개구리는 발가락 사이에 물갈퀴가 있어 헤엄치기에 좋다.

(　　　　　　　　)

12~13 다음은 날아다니는 여러 가지 동물입니다.

㉠ ▲ 제비
㉡ ▲ 잠자리
㉢ ▲ 흰꼬리수리
㉣ ▲ 매미

12 다음에서 설명하는 동물을 골라 기호를 써 봅시다.

- 몸이 머리, 가슴, 배로 구분된다.
- 얇고 투명한 날개가 두 쌍이 있다.
- 공중에서 멈춰서 날 수 있고, 빨리 날 수도 있다.

(　　　　　　　　)

13 위 ㉢ 동물에 대한 설명으로 옳지 않은 것은 어느 것입니까? (　　　)

① 알을 낳는다.
② 발톱이 날카롭다.
③ 머리가 크고 더듬이가 있다.
④ 부리가 날카로운 갈고리 모양이다.
⑤ 숲이나 절벽, 바닷가 등에서 산다.

중요 서술형

14 오른쪽 낙타는 혹에 지방이 들어 있습니다. 낙타가 사막에서 잘 살 수 있는 특징을 이와 관련하여 써 봅시다.

15 오른쪽 사막 도마뱀이 사막에서 잘 살 수 있는 특징으로 옳은 것은 어느 것입니까? (　　　)

① 먹이를 먹지 않는다.
② 몸이 털로 덮여 있다.
③ 콧구멍을 열고 닫을 수 있다.
④ 피부로 물을 흡수하여 입으로 흘려보낸다.
⑤ 모래에 몸이 최대한 닿지 않게 몸의 일부를 들고 이동한다.

16 사는 곳이 나머지와 다른 동물은 어느 것입니까? (　　　)

① 
▲ 순록

② 
▲ 바다코끼리

③ 
▲ 피라미

④ 
▲ 북극곰

17 오른쪽 북극여우에 대한 설명으로 옳은 것은 어느 것입니까? (　　　)

① 물이 매우 적은 곳에서 산다.
② 털이 두껍고 촘촘하게 나 있다.
③ 귀가 커서 몸속의 열을 밖으로 잘 내보낸다.
④ 몸에 있는 돌기에 맺힌 물을 입으로 흘려보낸다.
⑤ 두 개의 긴 이빨을 얼음에 박아 몸이 미끄러지지 않게 고정한다.

중요

18 다음은 동물의 특징을 생활에서 활용한 예입니다. (　) 안에 알맞은 말을 각각 써 봅시다.

> (㉠) 다리에 있는 빨판의 특징을 활용하여 벽에 붙는 흡착식 걸이를 만들었고, 오리 발의 특징을 활용하여 (㉡)을/를 만들었다.

㉠: (　　　　　　) ㉡: (　　　　　　)

19 오른쪽 전신 수영복은 어떤 동물의 특징을 활용하여 만든 것입니까? (　　　)

① 수리의 발
② 상어의 피부
③ 산천어의 몸
④ 산양의 발바닥
⑤ 혹등고래의 지느러미

20 다음은 어떤 동물의 특징을 활용한 로봇인지 보기 에서 각각 골라 기호를 써 봅시다.

(1) 

(2) 

보기
㉠ 뱀　　㉡ 오리
㉢ 거북　　㉣ 두더지

(1) (　　　　　　) (2) (　　　　　　)

장소에 따른 흙의 특징

탐구로 시작하기 장소에 따른 흙의 특징 비교하기

과정 및 결과

실험 동영상

활동 1 운동장 흙과 화단 흙 관찰하기

1 운동장 흙과 화단 흙의 색깔을 관찰하고, 만졌을 때의 느낌을 비교해 봅시다.

2 흙을 이루는 알갱이를 돋보기로 관찰하고, 알갱이 크기 등을 비교해 봅시다.

운동장 흙	화단 흙

• 밝은 갈색입니다. • 만졌을 때 거칠거칠한 느낌입니다. • 알갱이 크기가 비교적 큽니다. • 모래가 많고, 잘 뭉쳐지지 않습니다.	• 어두운 갈색입니다. • 만졌을 때 부드럽고 촉촉한 느낌입니다. • 알갱이 크기가 비교적 작습니다. • 진흙이 많고, 잘 뭉쳐집니다. • 나무 조각, 썩은 잎 등이 있습니다.

흙의 종류만 다르게 하고, 흙의 양, 물의 양 등 나머지 조건은 모두 같게 해요.

실험 동영상

활동 2 운동장 흙과 화단 흙의 물 빠짐 비교하기

1 구멍 뚫린 플라스틱 컵 2개를 준비하여 밑 부분을 거즈로 감싸고 고무줄로 묶습니다.

2 과정 **1**의 컵에 각각 운동장 흙과 화단 흙을 절반 정도 넣고, 비커 위에 올려놓습니다.

3 두 흙에 같은 양의 물을 비슷한 빠르기로 동시에 붓습니다.

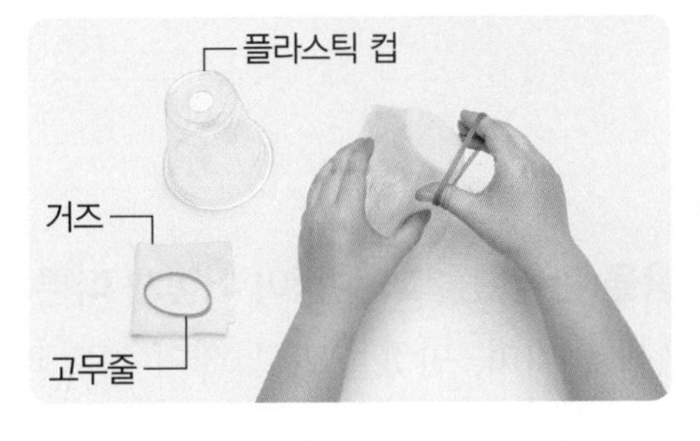

4 30초 정도 시간이 지난 뒤 어느 흙에서 물이 더 많이 빠졌는지 관찰해 봅시다.

운동장 흙		화단 흙	
	• 빠져나온 물의 양이 화단 흙보다 많습니다. • 물이 더 빠르게 빠집니다.		• 빠져나온 물의 양이 운동장 흙보다 적습니다. • 물이 더 느리게 빠집니다.

+ 또 다른 방법!

플라스틱 컵 대신 물 빠짐 통에 흙을 넣고, 물을 부어볼 수 있습니다.

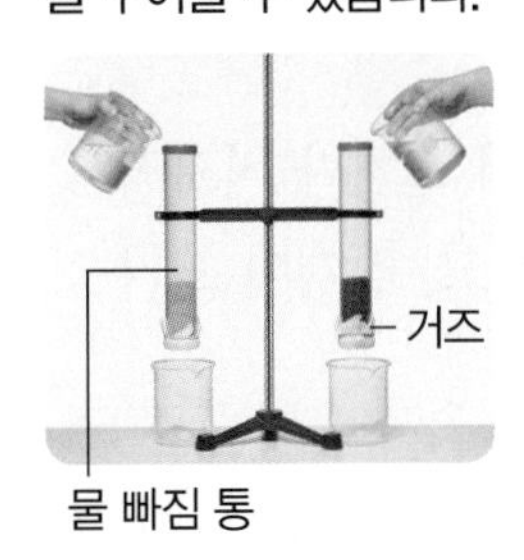

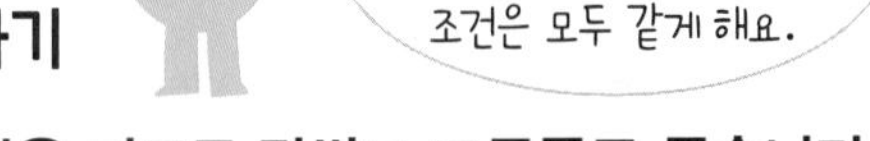

탐구로 시작하기

활동 3 운동장 흙과 화단 흙의 뜬 물질 비교하기

1 플라스틱 컵 2개에 운동장 흙과 화단 흙을 각각 $\frac{1}{4}$ 정도 넣고, 물을 절반 정도 채운 후 유리 막대로 저어줍니다.

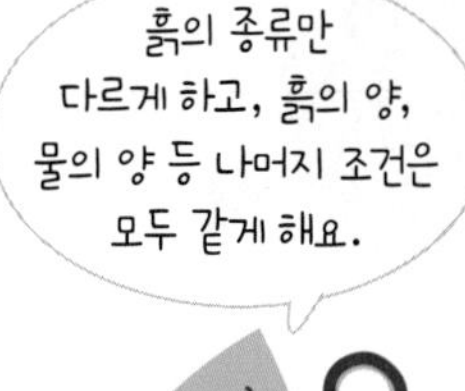

2 일정한 시간이 지난 뒤, 물에 뜬 물질의 양을 비교해 봅시다.

3 물에 뜬 물질을 핀셋으로 건져 거름종이 위에 올려놓고, 돋보기로 관찰해 봅시다.

운동장 흙	화단 흙
뜬 물질이 적습니다. (거의 없습니다.)	식물의 뿌리, 나뭇잎 조각, 죽은 곤충 등이 있습니다.

정리

- **운동장 흙과 화단 흙을 관찰했을 때 특징이 어떻게 다른가요?**

➜ 운동장 흙은 밝은색을 띠며, 만졌을 때 느낌이 거칠고, 알갱이 크기가 비교적 큽니다. 화단 흙은 어두운색을 띠며, 만졌을 때 느낌이 부드럽고, 알갱이 크기가 비교적 작습니다.

- **운동장 흙과 화단 흙에서 물 빠짐 정도는 어떻게 다른가요?**

➜ 운동장 흙은 화단 흙보다 물이 더 빠르게 빠집니다.

- **운동장 흙과 화단 흙에서 물에 뜬 물질은 어떻게 다른가요?**

➜ 운동장 흙은 물에 뜬 물질이 적지만, 화단 흙은 물에 뜬 물질이 많습니다.

1 운동장 흙과 화단 흙의 특징 → 흙은 장소에 따라 특징이 다릅니다.

특징	운동장 흙	화단 흙
색깔	밝은 갈색	어두운 갈색
만졌을 때의 느낌	거칠거칠합니다. → 모래가 많습니다.	약간 부드럽습니다. → 진흙이 많습니다.
알갱이 크기	비교적 큽니다.	비교적 작습니다. → 큰 것도 있고 작은 것도 있습니다.
물 빠짐 정도	물 빠짐이 빠릅니다.	물 빠짐이 느립니다.
	물 빠짐 정도가 다른 까닭: 운동장 흙이 화단 흙보다 알갱이 크기가 크고 고르기 때문입니다.	
물에 뜬 물질 (→ 부식물)	• 운동장 흙보다 화단 흙에 더 많습니다. • 뜬 물질에는 식물의 뿌리, 나뭇잎 조각, 죽은 곤충 등이 있습니다.	

2 식물이 잘 자라는 흙의 특징

① 부식물: 식물의 뿌리, 나뭇잎 조각, 죽은 곤충처럼 식물이나 동물의 일부가 오랜 시간에 걸쳐 썩어서 흙의 일부가 된 것입니다. → 식물이 잘 자라게 하는 거름 역할을 합니다.

② 부식물이 많은 흙에서 식물이 잘 자랍니다. → 운동장 흙보다 화단 흙에서 식물이 잘 자랍니다.

3 그 밖에 장소에 따른 흙의 특징

➕ 밭 물을 채우지 않고 작물을 재배하는 땅
➕ 논 물을 채우고 작물을 재배하는 땅

모래사장	산	➕밭	➕논	갯벌
밝은색, 부식물이 적고, 거칠거칠하며, 물 빠짐이 좋습니다.	어두운색, 부식물이 많습니다.	붉은색, 검은색 등 어두운색, 거칠거칠합니다.	어두운색, 부드럽습니다.	어두운색, 물이 고여 있어 촉촉합니다.

핵심 개념 확인하기

정답과 해설 • 6쪽

✔ 운동장 흙과 화단 흙의 특징

특징	운동장 흙	화단 흙
색깔	밝은 갈색	❶ ☐☐☐ 갈색
만졌을 때의 느낌	거칠거칠합니다.	약간 부드럽습니다.
알갱이 크기	비교적 ❷ ☐☐☐.	비교적 ❸ ☐☐☐☐.
물 빠짐 빠르기	❹ ☐☐☐☐.	❺ ☐☐☐☐.
부식물의 양	적습니다.	많습니다.

✔ 식물이 잘 자라는 흙의 특징: ❻ ☐☐☐이 많습니다.

문제로 완성하기

운동장 흙과 화단 흙 관찰하기

1 운동장 흙과 화단 흙의 알갱이 크기를 자세하게 관찰할 때 사용하는 도구는 어느 것입니까? (　　　)

① 저울　② 돋보기　③ 쌍안경　④ 온도계　⑤ 초시계

2 오른쪽과 같은 운동장 흙에 대한 설명으로 옳지 않은 것은 어느 것입니까? (　　　)

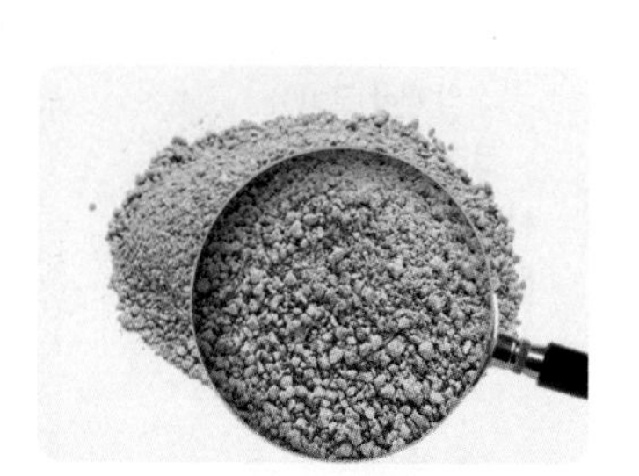

① 잘 뭉쳐지지 않는다.
② 만졌을 때 느낌이 부드럽다.
③ 알갱이 크기가 비교적 크다.
④ 화단 흙에 비해 색깔이 밝다.
⑤ 모래가 많고, 주로 모래나 흙 알갱이만 보인다.

3~4 오른쪽과 같이 거즈로 감싼 구멍 뚫린 플라스틱 컵에 운동장 흙과 화단 흙을 넣고, 물 빠짐을 비교해 보았습니다.

운동장 흙과 화단 흙의 물 빠짐 비교하기

3 위 실험에서 다르게 해야 할 조건을 보기 에서 골라 기호를 써 봅시다.

보기

㉠ 플라스틱 컵의 크기	㉡ 흙의 양	㉢ 흙의 종류
㉣ 거즈의 장 수	㉤ 붓는 물의 양	㉥ 물을 붓는 빠르기

(　　　　　　　)

4 운동장 흙과 화단 흙 중 같은 시간 동안 물이 더 많이 빠지는 흙과 그 까닭을 옳게 짝지은 것은 어느 것입니까? (　　　)

① 화단 흙 – 흙의 색깔이 어둡기 때문이다.
② 화단 흙 – 알갱이 크기가 작기 때문이다.
③ 화단 흙 – 나뭇잎 조각이 많이 섞여 있기 때문이다.
④ 운동장 흙 – 흙의 색깔이 밝기 때문이다.
⑤ 운동장 흙 – 알갱이 크기가 크고 고르기 때문이다.

5~6 오른쪽은 운동장 흙과 화단 흙이 담긴 플라스틱 컵에 물을 채우고, 유리막대로 저어 주고 일정한 시간이 지난 뒤의 결과를 순서 없이 나타낸 것입니다.

운동장 흙과 화단 흙의 뜬 물질 비교하기

5

㉠과 ㉡에 든 흙의 종류를 각각 써 봅시다.

㉠: (   ) ㉡: (   )

6

위 실험에서 물에 뜬 물질은 식물의 뿌리, 나뭇잎 조각, 죽은 곤충 등이 흙에 포함된 것입니다. 이러한 물질을 무엇이라고 하는지 써 봅시다.

(   )

식물이 잘 자라는 흙의 특징

7

운동장 흙과 화단 흙 중 식물이 잘 자라는 흙에 대한 설명으로 옳은 것은 어느 것입니까? (   )

① 알갱이 크기가 크고, 만져 보면 거칠다.
② 흙에 물을 넣었을 때 물에 뜨는 물질이 적다.
③ 부식물이 많은 화단 흙에서 식물이 잘 자란다.
④ 물 빠짐이 빠른 운동장 흙에서 식물이 잘 자란다.
⑤ 모래나 흙 알갱이만 보이고 다른 물질이 섞여 있지 않다.

그 밖에 장소에 따른 흙의 특징

8

장소에 따라 나타나는 흙의 특징을 잘못 설명한 사람의 이름을 써 봅시다.

- 영지: 화단 흙은 운동장 흙보다 만졌을 때 느낌이 부드럽고 촉촉해.
- 유민: 장소가 달라지면 흙의 색깔은 달라지지만, 알갱이 크기는 일정해.
- 주희: 산에 있는 흙은 모래사장에 있는 흙보다 부식물이 많고, 색깔이 어두워.
- 기훈: 모래사장에 있는 흙은 갯벌에 있는 흙보다 알갱이가 커서 물 빠짐이 좋아.

(   )

흙이 만들어지는 과정

탐구로 시작하기 흙이 만들어지는 과정 알아보기

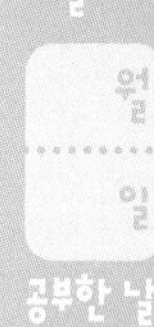

1 흰 종이 위에 소금 덩어리를 올려놓고, 크기와 모양을 관찰해 봅시다.

2 소금 덩어리를 투명한 플라스틱 통에 $\frac{1}{4}$ 정도 넣고 뚜껑을 닫은 후, 통 안에 가루가 보일 때까지 통을 세게 흔듭니다.

+ 또 다른 방법!

플라스틱 통에 소금 덩어리 대신 각설탕, 과자, 사탕 등을 넣어 흔들어 볼 수도 있습니다.

3 흰 종이 위에 소금을 부어 어떤 변화가 생겼는지 관찰해 봅시다.

4 플라스틱 통을 흔들기 전과 흔든 후 소금 덩어리의 모습을 비교해 봅시다.

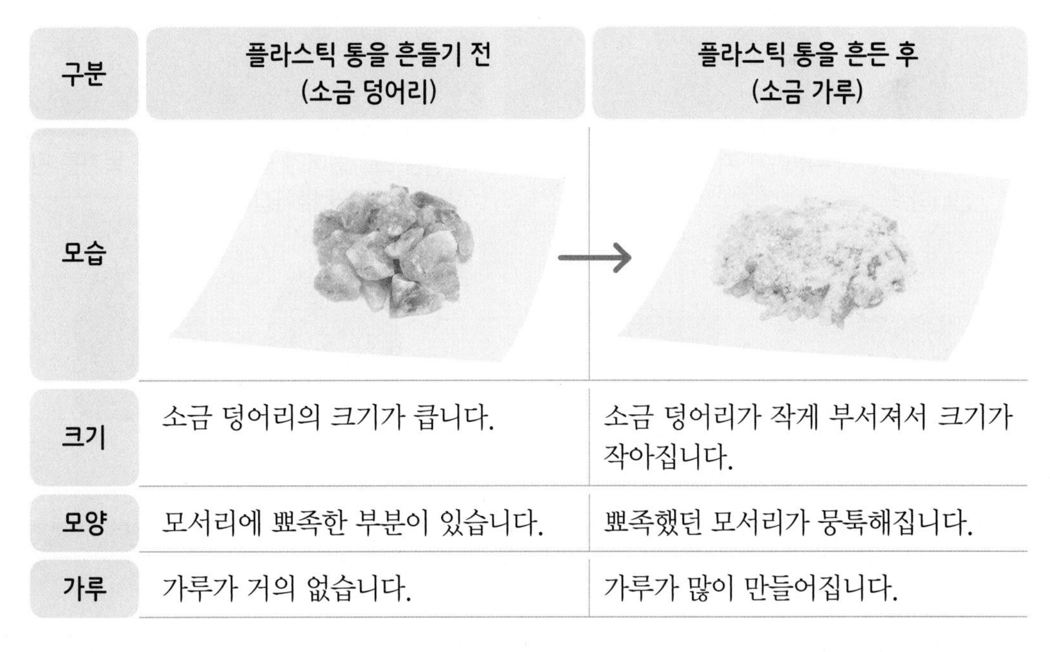

구분	플라스틱 통을 흔들기 전 (소금 덩어리)	플라스틱 통을 흔든 후 (소금 가루)
모습		
크기	소금 덩어리의 크기가 큽니다.	소금 덩어리가 작게 부서져서 크기가 작아집니다.
모양	모서리에 뾰족한 부분이 있습니다.	뾰족했던 모서리가 뭉툭해집니다.
가루	가루가 거의 없습니다.	가루가 많이 만들어집니다.

정리

소금 덩어리를 바위나 돌이라고 생각해 볼 때, 흙은 어떤 과정으로 만들어질까요?

➜ 소금 덩어리가 작게 부서져 소금 가루로 변하는 것처럼, 바위나 돌이 작게 부서져 흙이 만들어집니다.

개념 이해하기

1 흙이 만들어지는 과정

나무뿌리, 물, 공기 등의 영향으로 바위나 돌이 부서져 점점 더 작은 알갱이가 되고, 작은 알갱이에 부식물이 섞여 흙이 됩니다.

바위가 나무뿌리, 물, 공기(바람) 등의 영향을 받습니다.

→

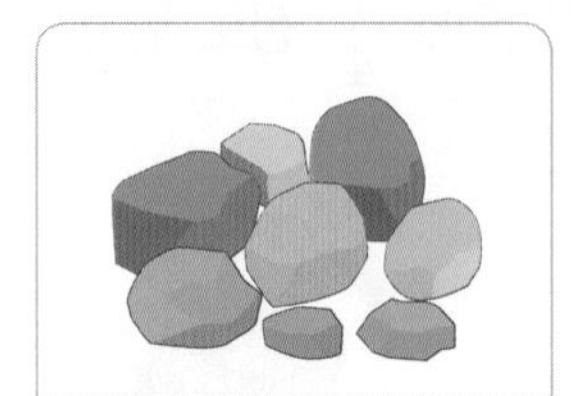

바위가 점점 작은 돌로 부서집니다.

→

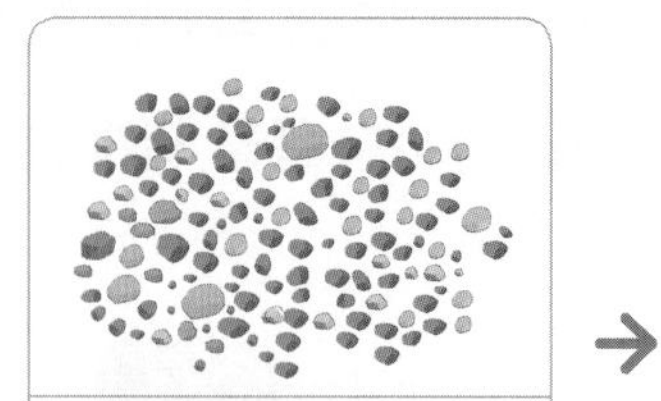

작은 돌은 모래와 같은 더 작은 알갱이로 부서집니다.

→

작은 알갱이에 생물이 썩어서 생긴 부식물이 섞여 흙이 됩니다.

2 자연에서 바위나 돌을 부수는 것

나무뿌리

바위틈에서 나무뿌리가 자라면서 바위가 부서집니다.

나무뿌리가 자라 굵어지면서 바위틈이 점점 벌어집니다.

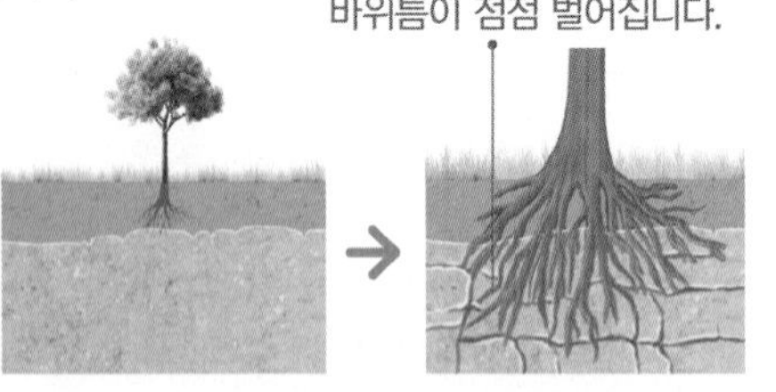

물

바위틈으로 들어간 물이 얼었다가 녹기를 반복하면서 바위가 부서집니다.

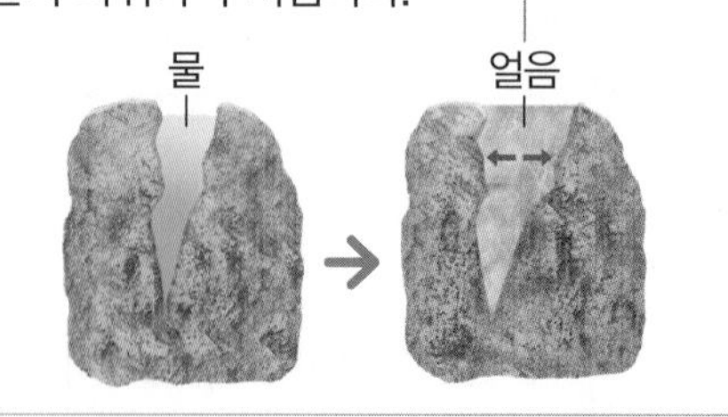

물이 얼면 부피가 커지면서 틈이 벌어집니다.

흐르는 물

흐르는 물에 바위가 부서집니다.

공기

공기가 움직이면서 바람이 불어 바위가 부서집니다.

바람이 불면서 모래와 먼지가 날려 바위를 깎아 냅니다.

3 '흙이 만들어지는 과정 알아보기' 탐구와 실제 흙이 만들어지는 과정 비교하기

- 공통점: 큰 덩어리가 크기가 작은 알갱이로 부서집니다.
- 차이점: 소금 덩어리가 소금 가루로 부서지는 데 걸린 시간보다 바위나 돌이 부서져 흙이 만들어지는 데 더 오랜 시간이 걸립니다.

4 흙의 소중함

① 흙에서는 다양한 생물이 살아가고 있습니다.

② 사람을 비롯한 동물은 식물을 먹고 사는데, 식물은 흙에서 양분과 물을 얻습니다.

③ 흙이 만들어지는 과정은 매우 오랜 시간이 걸립니다.

④ 우리는 소중한 흙이 오염되거나 없어지지 않도록 흙을 잘 보존해야 합니다.

+ 양분 영양이 되는 성분

+ 오염 더럽게 물드는 것

핵심 개념 확인하기

정답과 해설 • 6쪽

✔ 흙이 만들어지는 과정

나무뿌리, 물, 공기 등의 영향으로 바위나 돌이 ❶ ☐☐☐ 점점 더 작은 알갱이가 됩니다. → 작은 알갱이에 생물이 썩어서 생긴 ❷ ☐☐☐ 이 섞여 흙이 됩니다.

✔ 자연에서 바위나 돌을 부수는 것: ❸ ☐☐☐☐, ❹ ☐, 공기 등

✔ '흙이 만들어지는 과정 알아보기' 탐구와 실제 흙이 만들어지는 과정 비교하기

특징	탐구	실제 흙이 만들어지는 과정
공통점	큰 덩어리가 크기가 작은 알갱이로 부서집니다.	
차이점	큰 덩어리가 부서지는 데 걸리는 시간이 ❺ ☐☐☐☐.	큰 덩어리가 부서지는 데 걸리는 시간이 ❻ ☐☐☐.

문제로 완성하기

흙이 만들어지는 과정

1 다음은 무엇이 만들어지는 과정인지 써 봅시다.

나무뿌리, 물, 공기 등의 영향으로 바위가 부서져 작은 알갱이가 된다. → 작은 알갱이에 생물이 썩어서 생긴 부식물이 섞인다.

(　　　　　　　　　　)

2 흙이 만들어지는 과정을 순서대로 나열하여 기호를 써 봅시다.

㉠

▲ 작은 알갱이에 생물이 썩어서 생긴 물질이 섞입니다.

㉡
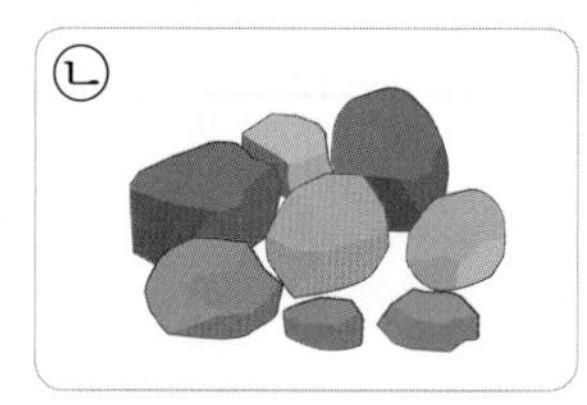
▲ 바위가 여러 가지 과정으로 작은 돌로 부서집니다.

㉢
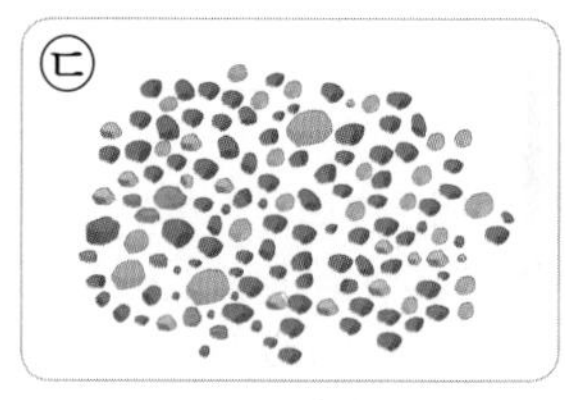
▲ 작은 돌이 모래와 같은 더 작은 알갱이로 부서집니다.

(　　　　) → (　　　　) → (　　　　)

자연에서 바위나 돌을 부수는 것

3 바위나 돌을 부수는 과정에 주는 영향이 가장 적은 것은 어느 것입니까? (　　　　)

① 공기　② 부식물　③ 나무뿌리
④ 흐르는 물　⑤ 얼었다가 녹는 물

4 다음은 바위가 부서지는 과정입니다. (　　) 안에 알맞은 말을 써 봅시다.

겨울에 바위틈에 들어간 (㉠)이/가 얼면, 부피가 (㉡) 때문에 바위틈이 벌어져 바위가 부서진다.

㉠: (　　　　　　　　) ㉡: (　　　　　　　　)

5~6 오른쪽과 같이 소금 덩어리를 투명한 플라스틱 통에 $\frac{1}{4}$ 정도 넣고 뚜껑을 닫은 후, 통을 세게 흔들어 보았습니다.

흙이 만들어지는 과정 알아보기

5 **플라스틱 통을 흔든 후 소금 덩어리의 변화로 옳은 것을 보기 에서 골라 기호를 써 봅시다.**

보기
㉠ 덩어리의 크기가 작아진다.
㉡ 모서리가 뾰족해진다.
㉢ 가루가 적어진다.

( )

탐구와 실제 흙이 만들어지는 과정 비교하기

6 **소금 덩어리를 플라스틱 통에 넣고 흔드는 것과 자연에서 흙이 만들어지는 과정을 비교한 것으로 옳지 않은 것은 어느 것입니까?** ( )

① 플라스틱 통을 흔들기 전 소금 덩어리는 바위나 돌에 해당한다.
② 플라스틱 통을 흔드는 것은 나무뿌리, 물, 공기가 바위를 부수는 과정에 해당한다.
③ 플라스틱 통을 흔든 뒤 소금 가루는 흙에 해당한다.
④ 소금 덩어리와 바위는 모두 점차 알갱이의 크기가 작아진다.
⑤ 소금 덩어리가 부서지는 데 걸린 시간은 바위가 부서지는 데 걸리는 시간보다 길다.

흙이 만들어지는 과정과 흙의 소중함

7 **흙이 만들어지는 과정에 대한 설명으로 옳지 않은 것은 어느 것입니까?** ( )

① 바위틈에서 나무뿌리가 자라면서 바위가 부서진다.
② 돌보다 작은 알갱이가 크게 뭉쳐져서 흙이 만들어진다.
③ 바위나 돌이 부서진 작은 알갱이와 부식물이 섞여 흙이 만들어진다.
④ 흙은 부식물이 섞여 만들어지므로 식물은 흙에서 양분을 얻을 수 있다.
⑤ 흙은 만들어지는 데 매우 오랜 시간이 걸리므로 흙을 잘 보존해야 한다.

땅의 모습을 바꾸는 흐르는 물

탐구로 시작하기 흐르는 물이 바꾸는 흙 언덕의 모습 관찰하기

10 일차 월 일 공부한 날

실험 동영상

1 사각 쟁반에 흙을 쌓아 언덕을 만들고 언덕 위쪽에 색 모래를 뿌린 다음, 흙 언덕 정상에 물을 붓습니다.

색 모래를 뿌리는 까닭

흐르는 물에 흙이 어떻게 이동하는지 쉽게 볼 수 있기 때문입니다.

→

2 색 모래가 이동하는 모습과 흙 언덕의 변화를 관찰해 봅시다.

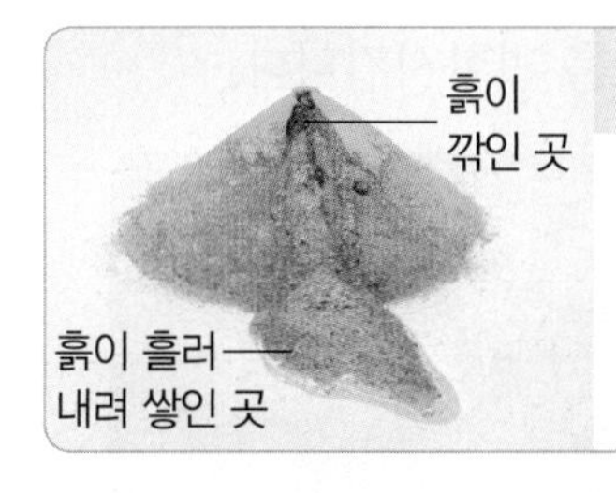

관찰한 내용

- 위쪽에 있던 색 모래가 아래쪽으로 이동했습니다.
- 흙 언덕이 깎인 곳도 있고, 흙이 흘러내려 쌓인 곳도 있습니다.

3 흙 언덕에서 흙이 가장 많이 깎인 곳과 가장 많이 쌓인 곳을 찾아 관찰해 봅시다.

흙이 가장 많이 깎인 곳	흙의 이동 방향	흙이 가장 많이 쌓인 곳
• 흙 언덕의 위쪽 • 언덕의 ⊕경사가 급합니다.	위쪽 → 아래쪽	• 흙 언덕의 아래쪽 • 언덕의 경사가 완만합니다.

⊕ **경사** 비스듬히 기울어진 정도

정리

흙 언덕의 모습이 변한 까닭은 무엇일까요?

➜ 흐르는 물이 흙 언덕 위쪽의 흙을 깎고 운반하여 아래쪽에 쌓았기 때문에 흙 언덕의 모습이 변하였습니다.

개념 이해하기

1 흐르는 물과⁺지표의 변화 ⊕ 지표 땅의 겉면

흐르는 물은 지표를 깎아 돌이나 흙을 낮은 곳으로 옮겨 지표의 모습을 변화시킵니다.

① 비가 오면 산비탈이나 운동장의 모습이 변하기도 합니다.

② 강물이 흐르는 주변에서 지표의 모습이 변하기도 합니다.

③ 흐르는 물이 지표를 변화시키는 데는 오랜 시간이 걸립니다.

▲ 비오기 전 산비탈

▲ 비온 후 산비탈

2 흐르는 물의 작용

흐르는 물은 침식 작용, 운반 작용, 퇴적 작용으로 지표를 변화시킵니다.

침식 작용
흐르는 물이 바위, 돌, 흙 등을 깎아 내는 것입니다.

운반 작용
흐르는 물을 따라 깎인 돌, 흙 등이 이동하는 것입니다.

퇴적 작용
운반된 돌, 흙 등이 쌓이는 것입니다.

▲ 침식⁺지형 계곡에서 바위가 깎인 모습

⊕ 지형 땅의 생긴 모양이나 형세

▲ 퇴적 지형 강과 바다가 만나는 곳에 흙이 쌓인 모습

침식, 운반, 퇴적 작용은 같이 일어나는데, 위치에 따라 더 활발하게 일어나는 작용이 달라져요.

3 언덕에서 흐르는 물의 작용

① 언덕의 위치에 따라 활발하게 일어나는 작용

언덕의 위쪽

경사가 급하여 물살이 세므로 흐르는 물에 바위, 돌, 흙 등이 많이 깎입니다.

➔ 침식 작용 활발

흐르는 물이 위쪽에서 깎인 돌, 흙 등을 아래쪽으로 옮깁니다.

➔ 운반 작용 활발

언덕의 아래쪽

경사가 완만하여 물의 흐름이 약해지므로 운반된 돌, 흙 등이 많이 쌓입니다.

➔ 퇴적 작용 활발

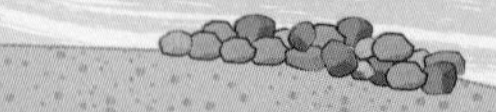

② 흐르는 물로 흙 언덕의 모습을 더 많이 바꾸는 방법
(=언덕 위쪽의 흙이 언덕 아래쪽에 더 많이 쌓이도록 하는 방법)

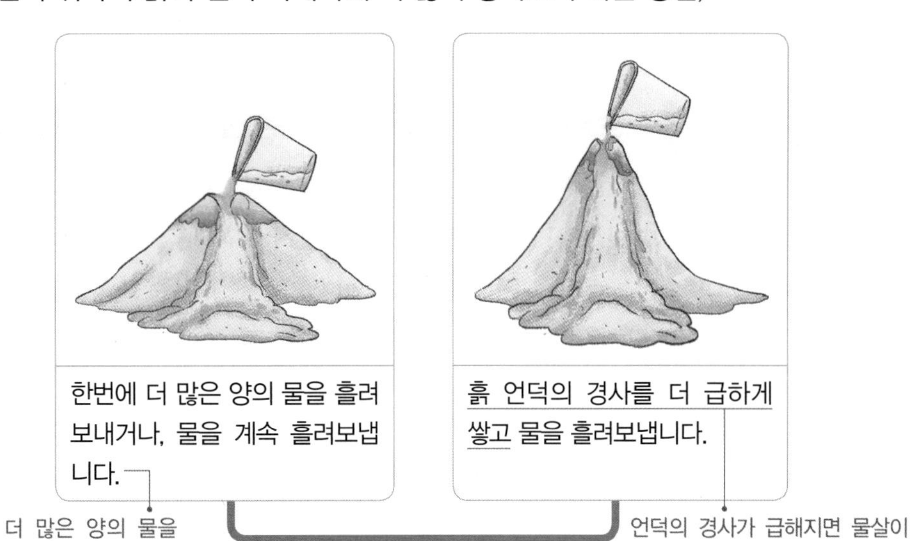

한번에 더 많은 양의 물을 흘려보내거나, 물을 계속 흘려보냅니다.	흙 언덕의 경사를 더 급하게 쌓고 물을 흘려보냅니다.

더 많은 양의 물을 흘려보내는 방법

언덕의 경사가 급해지면 물살이 세지고 흙이 많이 깎여나갑니다.

위쪽에서 깎이는 흙의 양이 많아져 아래쪽에 더 많은 흙이 쌓이고, 흙 언덕의 모습이 더 많이 바뀝니다.

비가 많이 오면 흙이 깎여나가기 쉬워요.

핵심 개념 확인하기

정답과 해설 • 7쪽

흐르는 물과 지표의 변화

- 흐르는 물은 ❶ ☐☐ 의 모습을 변화시킵니다.
- 흐르는 물이 지표를 변화시키는 데는 오랜 시간이 걸립니다.

흐르는 물의 작용

❷ ☐☐ 작용	❸ ☐☐ 작용	❹ ☐☐ 작용
흐르는 물이 바위, 돌, 흙 등을 깎아 내는 것	흐르는 물을 따라 깎인 돌, 흙 등이 이동하는 것	운반된 돌, 흙 등이 쌓이는 것

언덕에서 흐르는 물의 작용

- 언덕의 위치에 따라 활발하게 일어나는 작용

언덕의 위쪽	경사가 급하여 ❺ ☐☐ 작용이 활발하게 일어납니다.
언덕의 아래쪽	경사가 완만하여 ❻ ☐☐ 작용이 활발하게 일어납니다.
깎인 돌, 흙 등의 이동 방향	위쪽 → ❼ ☐☐ 쪽

- **흐르는 물로 흙 언덕의 모습을 더 많이 바꾸는 방법:** 한번에 더 ❽ ☐☐ 양의 물을 흘려보내거나, 물을 계속 흘려보냅니다. 언덕의 경사를 더 급하게 쌓고 물을 흘려보냅니다.

문제로 완성하기

흐르는 물과 지표의 변화

1 **흐르는 물과 지표의 변화에 대한 설명으로 옳은 것을 보기 에서 골라 기호를 써 봅시다.**

보기

㉠ 흐르는 물은 흙이 깎이지 않도록 지표를 보호한다.
㉡ 흐르는 물은 오랜 시간에 걸쳐 지표의 모습을 변화시킨다.
㉢ 흐르는 물은 바위, 돌, 흙 등을 높은 곳으로 운반하여 쌓아 놓는다.

( )

흐르는 물의 작용

2 **다음은 흐르는 물의 작용에 대한 설명입니다. ( ) 안에 알맞은 말을 각각 써 봅시다.**

흐르는 물이 지표의 바위, 돌, 흙 등을 깎아 내는 것을 (㉠) 작용이라 하고, 운반된 돌, 흙 등이 쌓이는 것을 (㉡) 작용이라고 한다.

㉠: ( ) ㉡: ( )

언덕에서 흐르는 물의 작용

3 **오른쪽과 같이 언덕에서 물이 흐를 때, (가)~(다) 구간의 흐르는 물의 작용에 대한 설명으로 옳은 것을 보기 에서 골라 기호를 써 봅시다.**

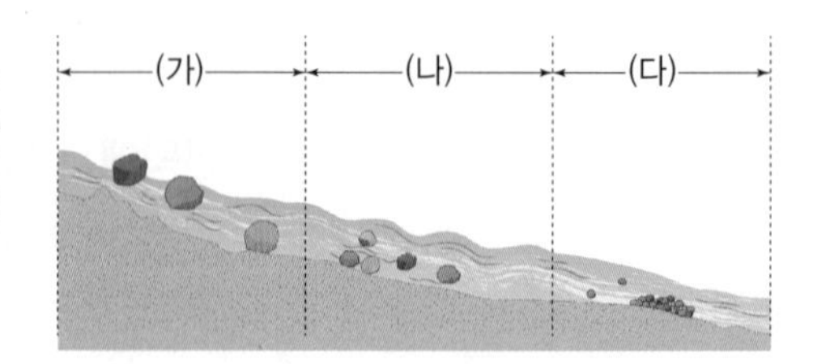

보기

㉠ 돌이나 흙은 (다)에서 (가) 방향으로 이동한다.
㉡ (가)는 침식 작용이 활발하게 일어나고, (다)는 퇴적 작용이 활발하게 일어난다.
㉢ (나)는 운반 작용만 일어난다.

( )

4~7 **오른쪽과 같이 흙 언덕을 만들고 언덕 위쪽에 색 모래를 뿌린 다음, 흙 언덕 정상에서 물을 흘려보냈습니다.**

흐르는 물이 바꾸는 흙 언덕의 모습 관찰하기

4 **색 모래를 뿌리는 까닭은 무엇입니까?** ( )

① 흙 언덕의 모양을 유지하기 위해서이다.
② 흙 언덕의 온도를 변화시키기 위해서이다.
③ 흙 언덕의 색깔을 변화시키기 위해서이다.
④ 흙 언덕을 더 단단하게 만들기 위해서이다.
⑤ 흐르는 물에 흙이 어떻게 이동하는지 쉽게 보기 위해서이다.

5 **위 실험 결과, 흙 언덕이 변한 모습으로 옳은 것을 보기에서 골라 기호를 써 봅시다.**

보기

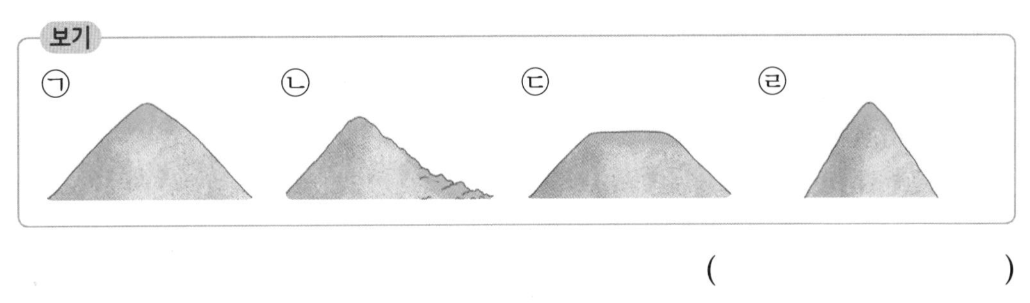

( )

6 **위 실험에 대한 설명으로 옳지 않은 것은 어느 것입니까?** ( )

① 언덕의 경사는 (가)가 (다)보다 급하다.
② 흙이 가장 많이 깎이는 곳은 (가)이다.
③ 흙이 가장 많이 쌓이는 곳은 (나)이다.
④ 퇴적 작용이 가장 활발한 곳은 (다)이다.
⑤ 색 모래는 언덕의 위쪽에서 아래쪽으로 이동한다.

흐르는 물로 흙 언덕의 모습을 더 많이 바꾸는 방법

7 **위 실험에서 흐르는 물로 흙 언덕의 모습을 더 많이 바꾸려고 할 때, 잘못된 방법을 말한 사람의 이름을 써 봅시다.**

- 정민: 한번에 더 많은 양의 물을 흘려보내야 해.
- 경수: 물을 더 준비해서 오랫동안 계속 흘려보내야 해.
- 호연: 흙 언덕의 경사를 더 완만하게 쌓고 물을 흘려보내야 해.

( )

강 주변의 모습

탐구로 시작하기 강 주변의 모습 알아보기

과정 및 결과

1 여러 가지 강 주변 지형 사진을 관찰하여 강 주변 지형의 특징을 찾아봅시다.

강 상류 주변 지형

- 바위와 모가 난 돌이 많습니다.
- 강폭이 좁고, 물이 빠르게 흐릅니다.
- 계곡, 폭포 등이 보입니다.

강 하류 주변 지형

- 모래가 많습니다.
- 강폭이 넓고, 물이 느리게 흐릅니다.
- 모래나 흙이 넓게 쌓여 있는 모습이 보입니다.

2 강 상류와 강 하류에서 흐르는 물의 작용을 생각해 봅시다.

강 상류	강 하류
강폭이 좁고, 물이 빠르게 흐릅니다. ➜ 침식 작용이 활발합니다.	강폭이 넓고, 물이 느리게 흐릅니다. ➜ 퇴적 작용이 활발합니다.

정리

강 주변 지형에는 어떤 특징이 있나요?

➜ 강 상류는 물이 빠르게 흘러 침식 작용이 활발하므로 바위나 모가 난 돌이 많습니다. 강 하류는 물이 느리게 흘러 퇴적 작용이 활발하므로 모래나 흙이 많습니다.

11 일차 월 일 공부한 날

개념 이해하기

1 강의 상류와 하류의 모습

산에서 시작되어 바다까지 흐르는 물은 강 주변의 모습을 변화시킵니다.

① 강 상류: 강이 시작되는 강의 위쪽 부분입니다. → 산, 계곡 등 높은 곳에서 물이 흐릅니다.

② 강 하류: 강의 아래쪽 부분입니다. → 낮은 곳에서 물이 흐르며, 바다에 가깝습니다.

③ ⊕강폭과 ⊕강의 경사 ⊕ **강폭** 강을 가로질러 잰 거리 ⊕ **강의 경사** 강이 기울어진 정도

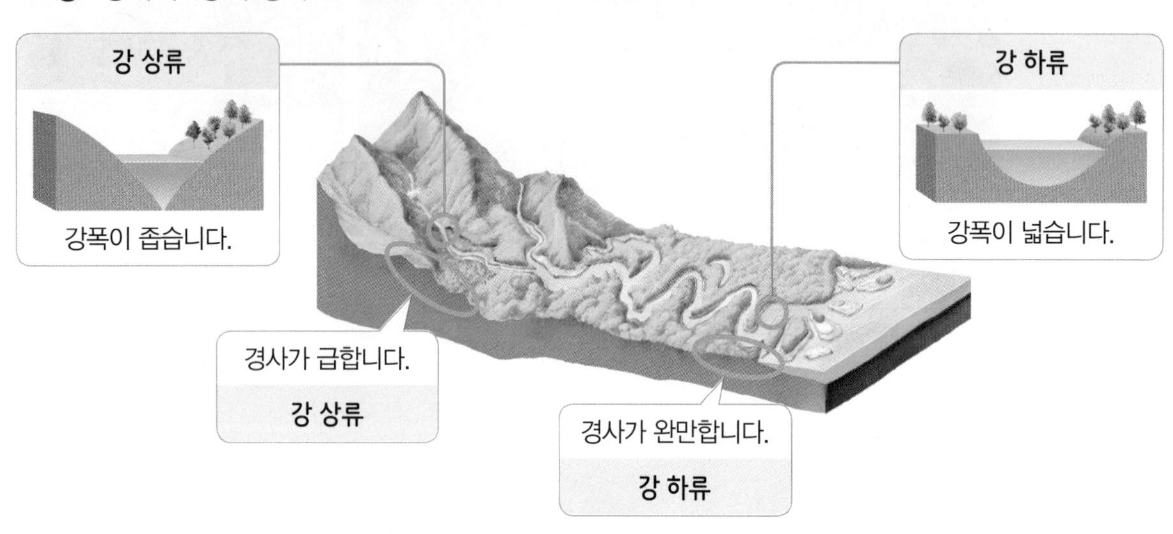

2 흐르는 물의 작용

강 상류

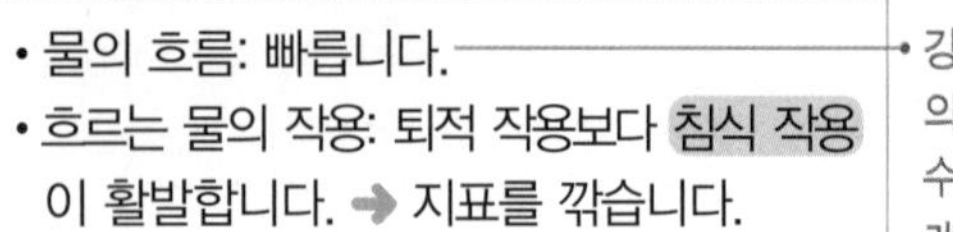

- 물의 흐름: 빠릅니다.
- 흐르는 물의 작용: 퇴적 작용보다 **침식 작용**이 활발합니다. ➜ 지표를 깎습니다.
- 많이 보이는 것: 바위나 돌, 계곡이나 산

강폭이 좁고 강의 경사가 급할수록 물이 빠르게 흐릅니다.

강 중류

- 물의 흐름: 상류보다 느리고 물의 양이 많습니다.
- 흐르는 물의 작용: **운반 작용**이 활발합니다.
- 많이 보이는 것: 강이 구불구불하게 흐르는 모습(곡류)

강 하류

- 물의 흐름: 느립니다.
- 흐르는 물의 작용: 침식 작용보다 **퇴적 작용**이 활발합니다. ➜ 운반된 물질이 쌓입니다.
- 많이 보이는 것: 모래나 흙, 모래나 흙이 넓게 쌓인 것, 넓은 평야와 들

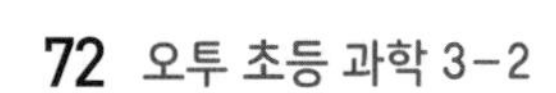

- 강 상류에 바위나 돌이 많은 까닭: 침식 작용이 활발하여 지표가 깎이기 때문입니다.
- 강 하류에 모래나 흙이 많은 까닭: 퇴적 작용이 활발하여 운반된 작은 알갱이들이 쌓이기 때문입니다.

➜ 흐르는 강물은 오랜 시간에 걸쳐 지표의 모습을 서서히 변화시킵니다.

11 일차

3 강 주변에서 볼 수 있는 지형

강 상류	강 중류	강 하류
계곡, 폭포 ➜ 주로 침식 지형	강이 구불구불하게 흐르는 모습(곡류)	모래사장, 흙이 쌓여 만들어진 넓고 평평한 땅 ➜ 주로 퇴적 지형
▲ 지리산 뱀사골 계곡	▲ 동강	▲ 금강 ⊕하구 법성포
▲ 내변산 직소 폭포	▲ 금강	▲ 낙동강 하구

⊕ 하구 강물이 바다로 흘러 들어가는 어귀

핵심 개념 확인하기

정답과 해설 • 7쪽

✔ 강 상류와 하류의 모습과 흐르는 물의 작용

특징	강 상류	강 하류
강폭	❶ □ 습니다.	❷ □ 습니다.
강의 경사	❸ □ 합니다.	❹ □□ 합니다.
물의 흐름	빠릅니다.	느립니다.
흐르는 물의 작용	❺ □□ 작용이 활발합니다.	❻ □□ 작용이 활발합니다.
많이 보이는 것	바위나 돌	모래나 흙

✔ 강 주변에서 볼 수 있는 지형

강 ❼ □□	강 중류	강 ❽ □□
계곡, 폭포	강이 구불구불하게 흐르는 모습(곡류)	모래사장, 흙이 쌓여 만들어진 넓고 평평한 땅

문제로 완성하기

강 주변의 모습 알아보기

1 **오른쪽 강 주변의 모습 중 강폭이 넓고 강물이 느리게 흐르는 곳의 기호를 써 봅시다.**

( )

㉠ ㉡

2~4 **오른쪽은 강의 전체적인 모습입니다.**

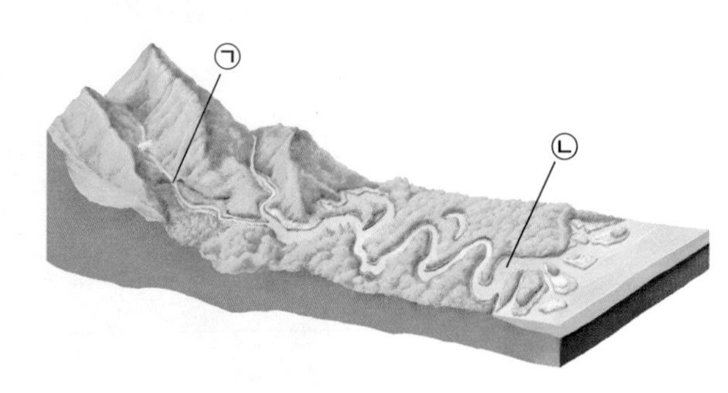

강의 상류와 하류의 모습

2 **㉠과 ㉡에서 강의 모습을 비교한 것으로 옳지 않은 것은 어느 것입니까?** ( )

	㉠	㉡
①	강 상류	강 하류
②	강폭이 좁다.	강폭이 넓다.
③	강의 경사가 완만하다.	강의 경사가 급하다.
④	물이 빠르게 흐른다.	물이 느리게 흐른다.
⑤		

흐르는 물의 작용

3 **㉠과 ㉡에서 흐르는 물에 의해 활발하게 일어나는 작용을 각각 써 봅시다.**

㉠: ( ) ㉡: ( )

4 **㉠과 ㉡ 중 모래가 더 많은 곳과 그 까닭을 옳게 짝 지은 것은 어느 것입니까?**

( )

① ㉠ – 침식 작용이 활발하여 지표가 깎이기 때문이다.
② ㉠ – 퇴적 작용이 활발하여 운반된 작은 알갱이들이 쌓이기 때문이다.
③ ㉡ – 침식 작용이 활발하여 운반된 작은 알갱이들이 쌓이기 때문이다.
④ ㉡ – 퇴적 작용이 활발하여 지표가 깎이기 때문이다.
⑤ ㉡ – 퇴적 작용이 활발하여 운반된 작은 알갱이들이 쌓이기 때문이다.

5 강 상류에서 많이 볼 수 있는 모습을 보기 에서 모두 골라 기호를 써 봅시다.

( )

6 강 하류에 대한 설명으로 옳은 것은 어느 것입니까? ( )

① 강폭이 좁다.
② 강의 경사가 급하다.
③ 바위나 큰 돌이 많다.
④ 강 상류에 비해 물의 흐름이 느리다.
⑤ 퇴적 작용보다 침식 작용이 활발하다.

강 주변에서 볼 수 있는 지형

7 다음은 강의 상류, 중류, 하류 중 어느 곳에서 관찰되는 지형인지 각각 써 봅시다.

㉠

㉠

㉠

㉠: ( ) ㉡: ( ) ㉢: ( )

8 강 주변의 모습에 대해 옳게 설명한 사람의 이름을 써 봅시다.

- 경수: 강 상류에서는 넓은 평야와 들을 볼 수 있어.
- 재원: 강 중류에서는 강이 구불구불하게 흐르는 모습을 볼 수 있어.
- 선호: 강 하류에서는 퇴적 작용만 일어나.
- 우연: 오랜 시간이 지나도 지표의 모습은 변하지 않아.

( )

12일차

바닷가 주변의 모습

탐구로 시작하기 파도에 의한 지표의 변화 모형실험 하기

과정 및 결과

실험 동영상

1 사각 수조에 흙, 돌, 물로 바닷가 모형을 만듭니다.

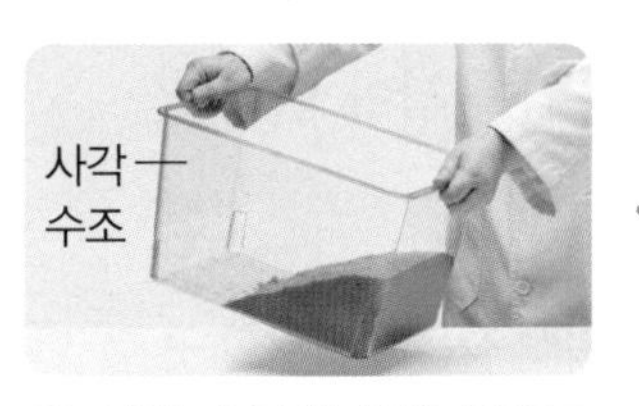

① 사각 수조에 흙을 채우고 흙을 한쪽으로 몰아 경사를 만든 뒤, 돌을 넣고 흙으로 덮습니다.

② 흙 반대쪽 벽에 물을 흘려 흙 높이의 절반 정도까지 물을 채웁니다.

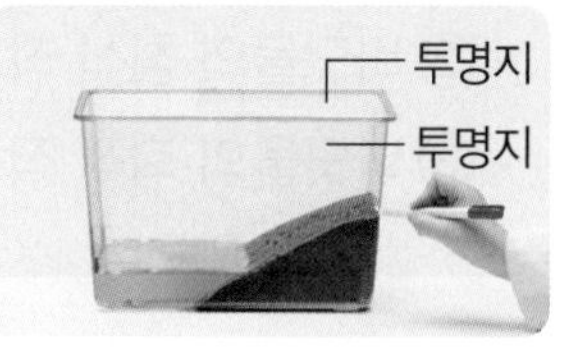

③ 사각 수조의 위와 옆에 투명지를 붙이고, 물과 흙의 경계와 흙의 옆모습을 그립니다.

2 우드록으로 물결을 20번 정도 일으킨 뒤, 투명지에 위와 옆에서 본 모습을 그리고, 바닷가 모형의 모습 변화를 관찰해 봅시다.

3 바닷가 모형실험과 실제 바닷가에서 일어나는 작용을 비교해 봅시다.

바닷가 모형실험		실제 바닷가
우드록으로 일으킨 물결	=	파도
위쪽의 흙이 깎이는 작용	=	파도의 침식 작용
아래쪽에 흙이 쌓이는 작용	=	파도의 퇴적 작용
바닷가 모형이 변하는 데 걸린 시간	<	지표의 모습이 변하는 데 걸리는 시간

정리

파도는 지표의 모습을 어떻게 변화시킬까요?

➜ 파도는 침식 작용과 퇴적 작용으로 오랜 시간에 걸쳐 바닷가 지표의 모습을 변화시킵니다.

개념 이해하기

1 바닷물의 작용(파도의 작용)

① 바닷가: 육지와 바다가 만나는 곳입니다.

② 바닷물의 침식 작용: 바닷물이 바위에 구멍을 뚫거나 바위를 깎아 냅니다.

③ 바닷물의 퇴적 작용: 바닷물이 모래나 흙을 쌓아 놓습니다.

▲ 바닷가 주변의 모습

돌출 쑥 내밀거나 튀어나오는 것

바위 가운데만 구멍이 생기는 까닭은 바위에서 약한 부분이 먼저 깎여 나가기 때문이에요.

2 바닷가 지형의 특징

	구멍 뚫린 바위	절벽	동굴
지형	울릉도 코끼리 바위		
특징	바위 가운데에 구멍이 있습니다.	바위가 가파른 절벽으로 깎여 있습니다.	바위 중간에 동굴이 있습니다.
바닷물의 작용	바닷물이 바위를 깎아 구멍이 뚫립니다.	바닷물이 바위를 계속 깎고 무너뜨립니다.	바닷물이 바위를 깎아 동굴이 만들어집니다.

	기둥 모양 바위	모래사장(해변)	갯벌	모랫길
지형	독도 촛대 바위			섬, 육지
특징	얇은 기둥 모양의 바위가 솟아 있습니다.	모래가 넓게 쌓여 있습니다.	고운 흙이 넓게 쌓여 있습니다.	섬과 육지 사이 바다에 모래가 쌓여 있습니다.
바닷물의 작용	바닷물이 바위를 깎아 만들어집니다.	바닷물이 모래를 쌓아 만들어집니다.	바닷물이 고운 흙을 쌓아 만들어집니다.	바닷물이 모래를 쌓아 길이 만들어집니다.

우리나라는 바다로 둘러싸여 있어서 바닷물의 침식 작용과 퇴적 작용으로 만들어진 여러 종류의 지형을 볼 수 있어요.

3 바닷물의 작용에 따른 바닷가 지형의 분류

구멍 뚫린 바위, 절벽, 동굴, 기둥 모양 바위, 모래사장, 갯벌, 모랫길

침식 작용으로 만들어진 지형	퇴적 작용으로 만들어진 지형
구멍 뚫린 바위, 절벽, 동굴, 기둥 모양 바위	모래사장, 갯벌, 모랫길

4 바닷가 지형의 변화

바닷가 지형은 바닷물의 작용에 의해 오랜 시간에 걸쳐 변화합니다.

예 오랜 시간이 지난 뒤 예상되는 구멍이 뚫린 바위의 모습 변화

▲ 구멍이 뚫린 바위

오랜 시간이 지난 뒤 →

▲ 미래의 모습

바닷물에 의해 바위가 서서히 깎이고 절벽이 깎여 윗부분이 무너지면 기둥만 남습니다.

핵심 개념 확인하기

정답과 해설 ● 8쪽

✔ 바닷물의 작용

❶ ☐☐ 작용	• 바닷물이 바위에 구멍을 뚫거나 바위를 깎아 냅니다. • 바닷가에서 바다 쪽으로 돌출된 곳에서 활발합니다.
❷ ☐☐ 작용	• 바닷물이 모래나 흙을 쌓아 놓습니다. • 바닷가에서 안쪽으로 들어간 곳에서 활발합니다.

✔ 바닷가 지형의 특징과 바닷물의 작용에 따른 분류

구멍 뚫린 바위	바위 가운데에 구멍이 있습니다.	❺ ☐☐ 작용으로 만들어진 지형
❸ ☐☐	바위가 가파르게 깎여 있습니다.	
동굴	바위 중간에 동굴이 있습니다.	
기둥 모양 바위	얇은 기둥 모양의 바위가 솟아 있습니다.	
모래사장	모래가 넓게 쌓여 있습니다.	❻ ☐☐ 작용으로 만들어진 지형
❹ ☐☐	고운 흙이 넓게 쌓여 있습니다.	
모랫길	섬과 육지 사이 바다에 모래가 쌓여 있습니다.	

문제로 완성하기

파도에 의한 지표의 변화 모형실험 하기

1 **오른쪽과 같이 우드록으로 물결을 20번 정도 일으켰을 때, 바닷가 모형의 모습 변화에 대한 설명으로 옳지 않은 것을 보기 에서 골라 기호를 써 봅시다.**

보기
㉠ 우드록으로 일으킨 물결은 파도에 해당한다.
㉡ 위쪽에 있는 흙이 깎여 아래쪽으로 이동한다.
㉢ 아래쪽에서는 파도의 침식 작용에 해당하는 작용이 일어난다.

( )

바닷물의 작용

2 **오른쪽과 같은 바닷가에서 ㉠과 ㉡ 중 침식 작용과 퇴적 작용이 활발한 곳을 각각 골라 기호를 써 봅시다.**

(1) 침식 작용이 활발한 곳: ( )
(2) 퇴적 작용이 활발한 곳: ( )

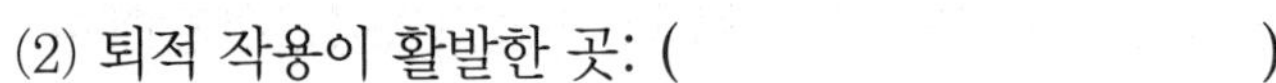

바닷가 지형의 특징

3 **다음과 같은 지형에 대해 옳게 말한 사람의 이름을 써 봅시다.**

- 지후: 고운 흙이 넓게 쌓여서 만들어진 지형이야.
- 상우: 바닷물의 퇴적 작용으로 만들어진 절벽이야.
- 기상: 바닷물에 의해 바위가 깎이면서 구멍이 뚫린 지형이야.

( )

4 **오른쪽 바닷가 지형에 대한 설명으로 옳은 것은 어느 것입니까?** ( )

① 주로 바위가 깎이는 곳이다.
② 바닷물이 모래를 쌓아서 만들어졌다.
③ 바닷물의 침식 작용으로 만들어졌다.
④ 알갱이가 큰 바위나 돌을 많이 볼 수 있다.
⑤ 바닷가에서 주로 바다 쪽으로 돌출된 곳에서 볼 수 있다.

바닷물의 작용에 따른 바닷가 지형의 분류

5 바닷물의 침식 작용으로 만들어진 지형을 보기 에서 모두 골라 기호를 써 봅시다.

(   )

바닷가 지형의 변화

6 오른쪽은 바닷물의 침식 작용으로 절벽이 깎여 무너지고 기둥만 남은 모습입니다. 지형이 변하기 전의 모습으로 옳은 것을 보기 에서 골라 기호를 써 봅시다.

(   )

7 바닷물의 작용과 바닷가 지형에 대한 설명으로 옳은 것은 어느 것입니까? (   )

① 바닷물도 강물과 같이 지표를 깎거나 깎인 물질을 운반하여 쌓는다.
② 바닷가에서 안쪽으로 들어간 곳에서 동굴이나 절벽이 잘 나타난다.
③ 바닷가 지형은 모두 바닷물의 퇴적 작용으로 만들어진다.
④ 바닷가 지형은 오랜 시간이 지나도 변하지 않는다.
⑤ 바닷가 지형은 짧은 시간 동안에 만들어진다.

스스로 정리하기

특별 부록 

정답과 해설 ● 8쪽

다음에서 밑줄에 들어갈 문장을 골라 써서 생각 그물을 완성해 보세요.

- 물 빠짐이 느리고, 부식물이 많다.
- 밝은 갈색을 띠고, 비교적 알갱이가 크다.
- 침식 작용이 활발하여 바위나 돌이 깎인다.
- 부서져 점점 더 작은 알갱이가 된다.
- 퇴적 작용이 활발하여 모래나 흙이 쌓인다.
- 침식, 운반, 퇴적 작용으로 지표의 모습을 바꾼다.

지표의 변화

장소에 따른 흙의 특징

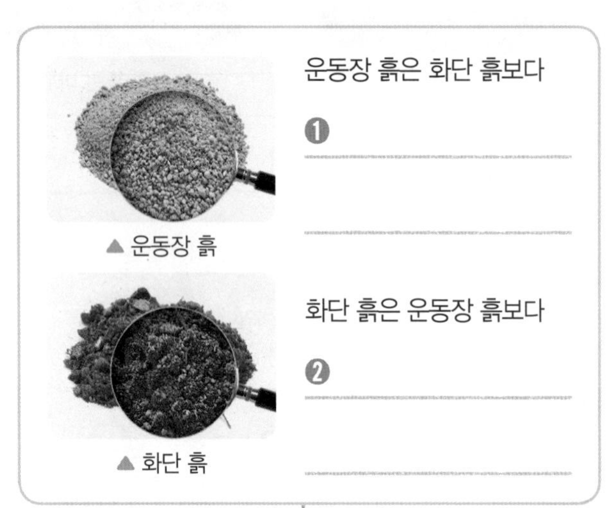

▲ 운동장 흙

운동장 흙은 화단 흙보다

❶ ______________________

▲ 화단 흙

화단 흙은 운동장 흙보다

❷ ______________________

흙이 만들어지는 과정

▲ 나무뿌리의 영향

▲ 물의 영향

나무뿌리, 물, 공기 등의 영향을 받아 바위나 돌이

❸ ______________________

작은 알갱이에 부식물이 섞여 흙이 된다.

땅의 모습을 바꾸는 흐르는 물

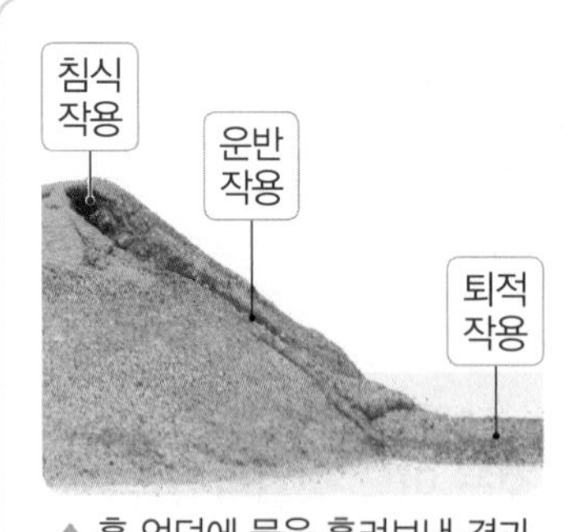

▲ 흙 언덕에 물을 흘려보낸 결과

흐르는 물은 ❹ ______________________

강과 바닷가 주변의 모습

▲ 강 상류

▲ 구멍 뚫린 바위

강 상류나 바닷가에서 바다 쪽으로 돌출된 곳은

❺ ______________________

▲ 강 하류

▲ 모래사장

강 하류나 바닷가에서 안쪽으로 들어간 곳은

❻ ______________________

단원 평가하기

(맞은 개수 개)

◎ 정답과 해설 ● 8쪽

중요

1 **운동장 흙과 화단 흙을 비교한 것으로 옳은 것은 어느 것입니까?** (   )

	운동장 흙	화단 흙
①	어두운 갈색	밝은 갈색
②	진흙이 많다.	모래가 많다.
③	만졌을 때 약간 부드럽고 촉촉하다.	만졌을 때 거칠거칠하다.
④	물이 느리게 빠진다.	물이 빠르게 빠진다.
⑤	부식물이 적다.	부식물이 많다.

2~3 **다음과 같이 운동장 흙과 화단 흙에 동시에 물을 30초 정도 흘려보냈습니다.**

2 **무엇을 알아보기 위한 실험입니까?** (   )

① 흙의 종류에 따른 촉감
② 식물이 잘 자라는 흙의 특징
③ 운동장 흙과 화단 흙의 물 빠짐
④ 운동장 흙과 화단 흙이 물에 녹는 정도
⑤ 운동장 흙과 화단 흙의 물에 뜬 물질의 양

중요 서술형

3 **위 실험 결과, 운동장 흙 아래에 있는 비커를 오른쪽 ㉠과 ㉡ 중에서 고르고, 그 까닭을 알갱이 크기와 관련지어 써 봅시다.**

4~5 **다음은 운동장 흙과 화단 흙의 물에 뜬 물질을 비교하는 과정입니다.**

(가) 운동장 흙과 화단 흙이 든 비커에 물을 붓고, 유리 막대로 저어 섞는다.

(나) 일정한 시간이 지나 물에 뜬 물질을 건져서 거름종이 위에 올려놓고 관찰한다.

4 **다음 ㉠과 ㉡은 위 실험에서 어떤 흙의 뜬 물질인지 써 봅시다.**

㉠: (   ) ㉡: (   )

서술형

5 **위 운동장 흙과 화단 흙 중에서 식물이 잘 자라는 흙을 고르고, 그 까닭을 써 봅시다.**

중요

6 **오른쪽과 같이 소금 덩어리를 플라스틱 통에 넣고, 흔들어 보았습니다. 이에 대한 설명으로 옳지 않은 것은 어느 것입니까?** (   )

① 소금 덩어리의 크기가 작아진다.
② 소금 덩어리의 모서리가 뾰족해진다.
③ 소금 덩어리가 부서져 가루가 생긴다.
④ 흙이 만들어지는 과정을 알아보는 실험이다.
⑤ 통을 흔드는 과정은 실제 나무뿌리, 물, 공기가 하는 작용에 해당한다.

7 자연에서 다음과 같은 영향으로 나타나는 공통된 현상은 어느 것입니까? (　　　)

▲ 나무뿌리

▲ 흐르는 물

① 모래가 쌓인다.
② 바위가 부서진다.
③ 바위가 점점 커진다.
④ 부식물이 만들어진다.
⑤ 물이 얼었다가 녹는다.

8~10 오른쪽과 같이 흙 언덕을 만들고 위쪽에 색 모래를 뿌린 후, 물을 흘려보냈습니다.

서술형

8 흙 언덕에 색 모래를 뿌리는 까닭을 써 봅시다.

____

____

중요

9 ㉠, ㉡, ㉢ 중에서 다음 흐르는 물의 작용이 가장 활발하게 일어나는 곳의 기호를 써 봅시다.

(1) 침식 작용이 가장 활발한 곳: (　　　)
(2) 퇴적 작용이 가장 활발한 곳: (　　　)

서술형

10 흐르는 물은 흙 언덕의 모습을 어떻게 변화시키는지 흙 언덕의 경사와 관련지어 써 봅시다.

____

____

11 오른쪽과 같이 비가 내린 뒤 산의 모습 변화를 잘못 설명한 사람의 이름을 써 봅시다.

• 민준: 흙이 깎인 곳이 있어.
• 윤지: 물을 흘렀던 흔적을 볼 수 있어.
• 철수: 비가 한번 더 내리면 아래쪽의 흙이 위로 올라갈 거야.

(　　　　　)

중요

12 강에서 일어나는 흐르는 물의 작용에 대한 설명으로 옳은 것은 어느 것입니까? (　　　)

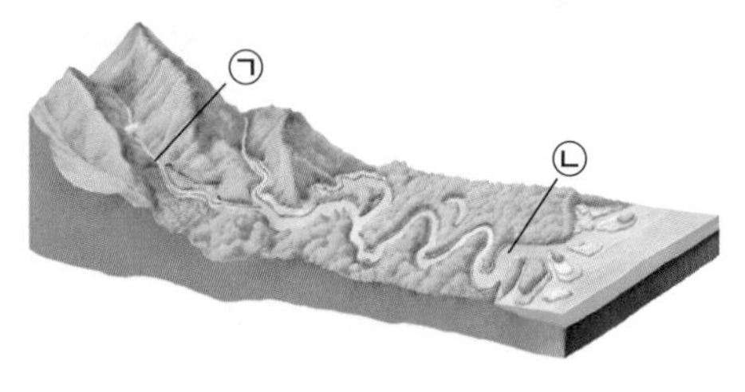

① ㉠에서는 퇴적 작용만 일어난다.
② ㉡에서는 침식 작용만 일어난다.
③ ㉠에서는 침식 작용이 퇴적 작용보다 활발하다.
④ ㉡에서는 침식 작용이 퇴적 작용보다 활발하다.
⑤ ㉡에서는 침식 작용과 퇴적 작용이 일어나지 않는다.

13 강의 상류와 하류에서 볼 수 있는 돌의 크기를 비교하여 ○ 안에 >, =, <를 써 봅시다.

강 상류  강 하류

14~15 다음은 강 주변의 모습입니다.

㉠

㉡

14 ㉠과 ㉡의 강폭을 비교하여 ◯ 안에 >, =, <를 써 봅시다.

㉠의 강폭 ◯ ㉡의 강폭

중요

15 ㉡ 주변의 모습에 대한 설명으로 옳은 것은 어느 것입니까? ( )

① 강 하류의 모습이다.
② 강의 경사가 급하다.
③ 들을 많이 볼 수 있다.
④ 흐르는 물을 볼 수 없다.
⑤ 모래나 흙을 많이 볼 수 있다.

중요

16 오른쪽 바닷가 지형에 대한 설명으로 옳은 것은 어느 것입니까? ( )

① 짧은 시간에 걸쳐 만들어졌다.
② 강물의 퇴적 작용으로 만들어졌다.
③ 바닷물이 흙을 쌓아서 만들어졌다.
④ 바닷물의 침식 작용으로 만들어졌다.
⑤ 바닷가의 안쪽으로 들어간 곳에서 만들어졌다.

서술형

17 오른쪽은 바닷물의 어떤 작용으로 만들어진 지형인지 쓰고, 그렇게 생각한 까닭을 써 봅시다.

▲ 갯벌

18 퇴적 작용이 침식 작용보다 활발한 곳을 보기 에서 모두 골라 기호를 써 봅시다.

보기
㉠ 강 상류 ㉡ 강 하류
㉢ 흙 언덕의 위쪽 ㉣ 흙 언덕의 아래쪽
㉤ 바닷가에서 안쪽으로 들어간 곳
㉥ 바닷가에서 바다 쪽으로 돌출된 곳

( )

중요

19 다음은 두 지형의 공통점입니다. ( ) 안에 알맞은 말을 보기 에서 골라 각각 써 봅시다.

▲ 울릉도 코끼리 바위

▲ 독도 촛대 바위

두 지형은 모두 (㉠)에서 볼 수 있는 지형으로, 물의 (㉡) 작용으로 바위가 깎여 만들어진 것입니다.

보기
강 주변, 바닷가 주변, 침식, 퇴적

㉠: ( ) ㉡: ( )

20 강과 바닷가 주변에서 퇴적 작용이 활발한 곳을 보기 에서 모두 골라 기호를 써 봅시다.

보기

( )

13일차

고체의 성질

우리 주변에서 손으로 쉽게 잡을 수 있는 것에 표시해 볼까요?
손으로 잡을 수 있는 고체의 공통점은 무엇일까요?
커튼
의자
물
우유
책
책상
연필
모래

탐구로 시작하기 고체의 성질 알아보기

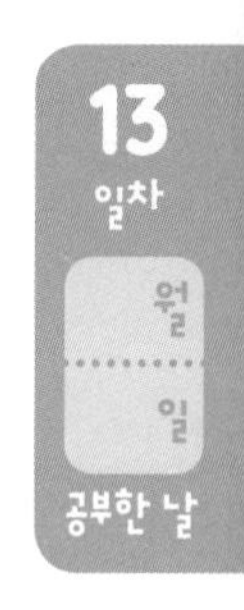

1 나무 막대와 플라스틱 막대로 도미노 놀이를 하면서 막대를 자유롭게 관찰해 봅시다.

눈으로 살펴보기 / 손으로 잡아 보기 / 손으로 세워 보기 / 막대를 쓰러뜨리기

구분	나무 막대	플라스틱 막대
관찰한 내용	• 눈으로 볼 수 있습니다. • 무늬가 있습니다. • 손으로 잡을 수 있습니다. • 단단합니다. • 막대를 세우거나 쓰러뜨릴 때 모양이 변하지 않습니다.	• 눈으로 볼 수 있습니다. • 색깔이 다양합니다. • 손으로 잡을 수 있습니다. • 단단합니다. • 막대를 세우거나 쓰러뜨릴 때 모양이 변하지 않습니다.

2 나무 막대 한 개와 플라스틱 막대 한 개를 각각 여러 가지 모양의 투명한 그릇에 넣어 보면서 막대의 모양과 부피 변화를 관찰해 봅시다.

▲ 나무 막대

▲ 플라스틱 막대

구분	나무 막대	플라스틱 막대
모양 변화	변하지 않습니다.	변하지 않습니다.
⊕부피 변화	변하지 않습니다.	변하지 않습니다.

⊕ **부피** 어떤 물질이 차지하는 공간의 크기

정리

나무 막대와 플라스틱 막대의 공통점은 무엇인가요?

➜ 눈으로 볼 수 있습니다.

➜ 손으로 잡을 수 있습니다.

➜ 여러 가지 모양의 그릇에 넣어도 막대의 모양과 부피가 변하지 않습니다.

개념 이해하기

1 고체

담는 그릇에 관계없이 모양과 부피가 변하지 않는 물질의 ⊕상태를 고체라고 합니다.

⊕ **상태** 사물·현상이 놓여 있는 모양이나 형편

2 고체의 성질

① 눈으로 볼 수 있습니다.

② 손으로 잡을 수 있습니다.

③ 단단하며, 쌓을 수 있습니다.

▲ 나무 막대를 쌓는 모습

▲ 플라스틱 막대를 쌓는 모습

→

나무 막대, 플라스틱 막대를 쌓는 모습 관찰하기

- 눈으로 볼 수 있습니다.
- 손으로 잡을 수 있습니다.
- 만지면 단단합니다.
- 차곡차곡 쌓을 수 있습니다.

④ 담는 그릇에 관계없이 고체의 모양과 부피가 변하지 않습니다.

▲ 플라스틱 막대를 여러 가지 모양의 그릇에 담은 모습

→

플라스틱 막대를 여러 가지 모양의 그릇에 담은 모습 관찰하기

- 막대의 모양이 변하지 않습니다.
- 막대의 부피가 변하지 않습니다.

고체의 모양과 부피가 변하지 않기 때문에 나타나는 현상

나무 막대는 모양과 부피가 변하지 않으므로 나무 막대보다 입구가 작은 그릇에 담을 수 없습니다.

장난감을 상자에 넣을 때 상자 안에 충분한 공간이 있어도 뚜껑이 닫히지 않는 경우가 있습니다.

3 우리 주변에서 볼 수 있는 고체의 종류

우리 주변에서 볼 수 있는 고체의 종류에는 책, 지우개, 가위, 필통, 색연필, 가방, 유리컵, 책상, 의자, ⊕칠교판 등이 있습니다.

⊕ **칠교판** 일곱 개의 판(직각 삼각형 큰 것 두 개, 중간 것 한 개, 작은 것 두 개, 정사각형 한 개, 평행 사변형 한 개)으로 이루어진 장난감

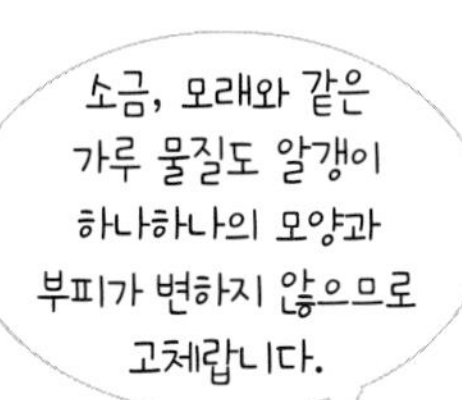

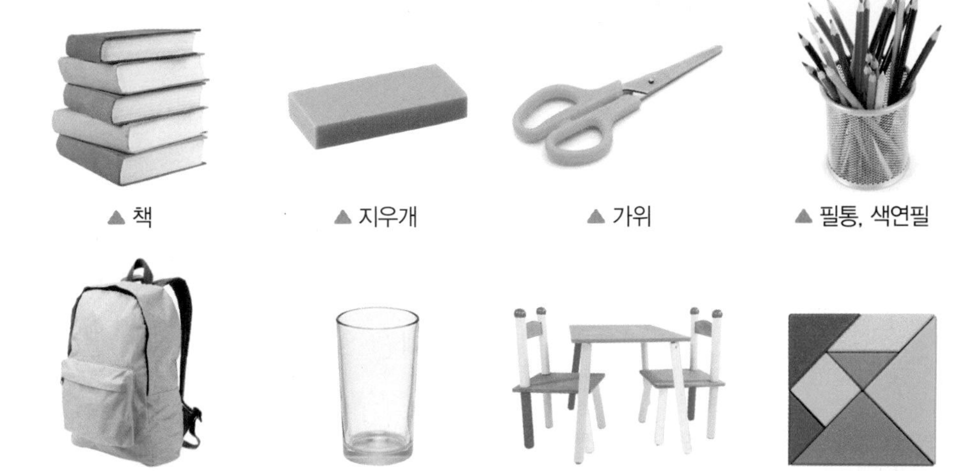

▲ 책 ▲ 지우개 ▲ 가위 ▲ 필통, 색연필

▲ 가방 ▲ 유리컵 ▲ 책상, 의자 ▲ 칠교판

핵심 개념 확인하기

정답과 해설 ● 10쪽

✔ ❶ ☐☐ : 담는 그릇에 관계없이 모양과 부피가 변하지 않는 물질의 상태입니다.

✔ **고체의 성질**

나무 막대와 플라스틱 막대를 쌓는 모습 관찰하기	플라스틱 막대를 여러 가지 모양의 그릇에 담은 모습 관찰하기

• 눈으로 ❷ ☐ 수 있습니다. • 손으로 ❸ ☐☐ 수 있습니다. • 단단하며, 차곡차곡 쌓을 수 있습니다.	• 모양이 변하지 ❹ ☐☐☐☐. • 부피가 변하지 ❺ ☐☐☐☐.

✔ **고체의 모양과 부피가 변하지 않기 때문에 나타나는 현상**: 입구가 작은 그릇에 입구보다 큰 나무 막대를 넣을 수 ❻ ☐고, 장난감을 상자에 넣을 때 충분한 공간이 있어도 뚜껑이 닫히지 않는 경우가 있습니다.

✔ **우리 주변에서 볼 수 있는 ❼ ☐☐의 종류**: 책, 지우개, 가위, 필통, 색연필, 책상, 의자 등이 있습니다.

문제로 완성하기

1~2 나무 막대와 플라스틱 막대를 각각 여러 가지 모양의 그릇에 넣어 보면서 모양과 부피 변화를 관찰했습니다.

▲ 나무 막대

▲ 플라스틱 막대

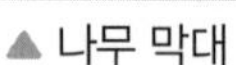

고체의 성질 알아보기

1 위 실험 결과로 옳은 것을 골라 기호를 써 봅시다.

구분	㉠	㉡	㉢	㉣
모양 변화	없다.	없다.	있다.	있다.
부피 변화	없다.	있다.	없다.	있다.

( )

2 나무 막대와 플라스틱 막대의 공통점으로 옳지 않은 것을 보기 에서 골라 기호를 써 봅시다.

보기
㉠ 눈으로 볼 수 있다.
㉡ 손으로 잡을 수 있다.
㉢ 담는 그릇이 바뀌어도 막대의 모양이 변하지 않는다.
㉣ 담는 그릇이 바뀌면 막대가 차지하는 공간의 크기가 변한다.

( )

고체

3 다음 ( ) 안에 알맞은 말을 써 봅시다.

담는 그릇에 관계없이 모양과 부피가 변하지 않는 물질의 상태를 ( )라고 한다.

( )

고체의 성질

4 **고체의 성질에 대한 설명으로 옳은 것은 어느 것입니까?** (   )

① 손으로 잡을 수 없다.
② 흘러내리므로 쌓을 수 없다.
③ 대부분 눈에 보이지 않는다.
④ 담는 그릇이 바뀌어도 부피가 일정하다.
⑤ 여러 가지 모양의 그릇에 옮겨 담으면 모양이 변한다.

5 **오른쪽과 같이 입구가 작은 삼각 플라스크에 나무 막대를 담으려고 했지만 담을 수 없었습니다. 이와 같은 현상이 나타나는 까닭을 잘못 설명한 사람의 이름을 써 봅시다.**

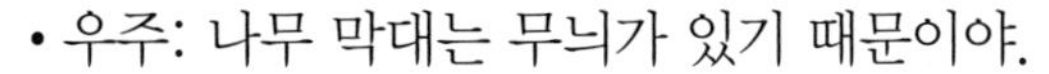

- 우주: 나무 막대는 무늬가 있기 때문이야.
- 윤희: 나무 막대는 부피가 변하지 않기 때문이야.
- 지호: 나무 막대는 모양이 변하지 않기 때문이야.

(   )

우리 주변에서 볼 수 있는 고체의 종류

6 **물질의 상태가 나머지 넷과 다른 것은 어느 것입니까?** (   )

▲ 필통, 색연필

② 
▲ 책상, 의자

③ 
▲ 물

▲ 책

⑤ 
▲ 가방

14일차

액체의 성질

탐구로 시작하기 액체의 성질 알아보기

1 물과 주스를 자유롭게 관찰해 봅시다.

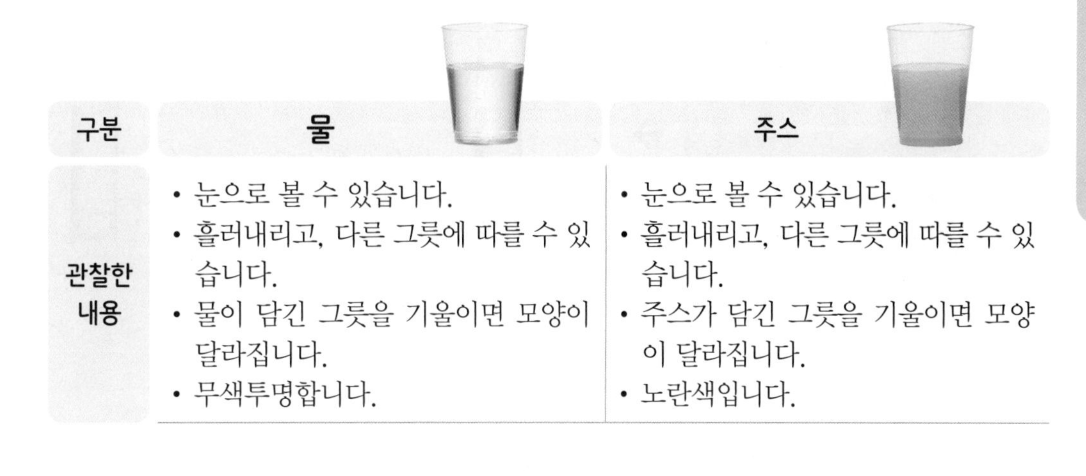

구분	물	주스
관찰한 내용	• 눈으로 볼 수 있습니다. • 흘러내리고, 다른 그릇에 따를 수 있습니다. • 물이 담긴 그릇을 기울이면 모양이 달라집니다. • 무색투명합니다.	• 눈으로 볼 수 있습니다. • 흘러내리고, 다른 그릇에 따를 수 있습니다. • 주스가 담긴 그릇을 기울이면 모양이 달라집니다. • 노란색입니다.

2 투명한 그릇에 물을 반 정도 넣은 뒤 유성 펜으로 물의 높이를 표시합니다.

└• 물의 높이를 표시할 때 물의 높이와 눈높이를 같게 맞춥니다.

유성 펜으로 높이를 표시하는 까닭

물의 부피가 변했는지 확인하기 위해

3 물을 다른 그릇에 차례대로 옮겨 담으면서 물의 모양을 관찰해 봅시다.

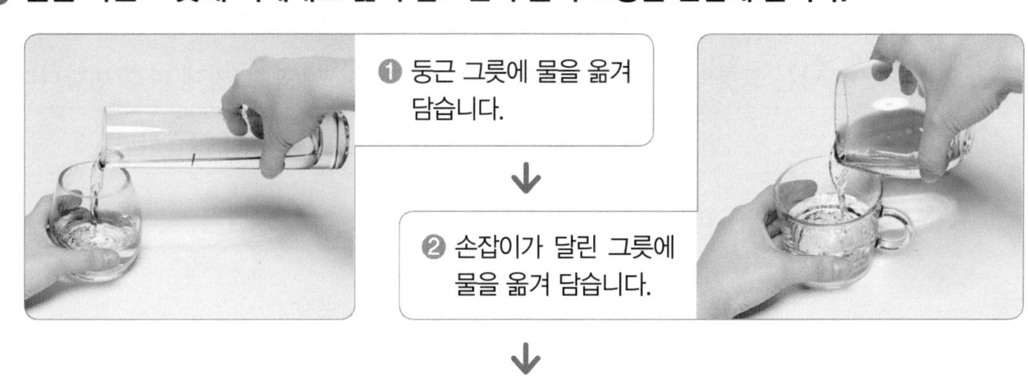

탐구로 시작하기

4 **첫 번째 그릇에 물을 다시 옮겨 담은 뒤 물의 높이를 처음 표시한 높이와 비교해 봅시다.**

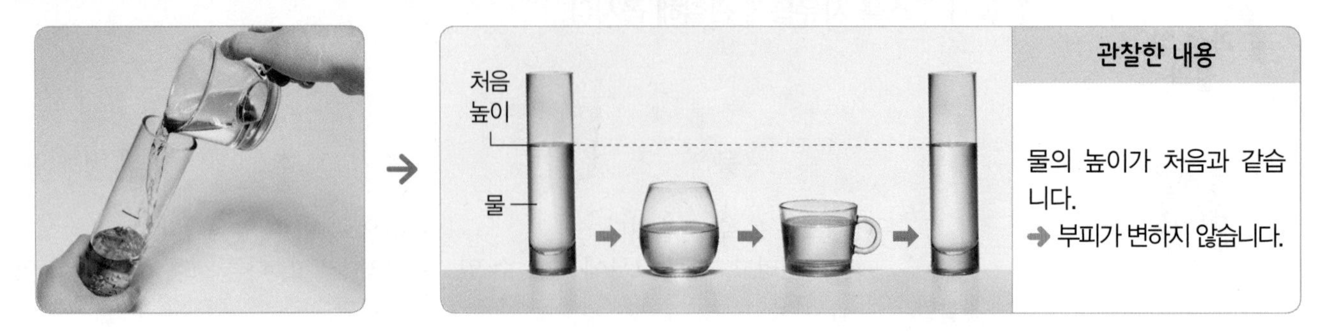

5 **과정 2~4와 같은 방법으로 주스의 모양과 부피 변화를 관찰해 봅시다.**

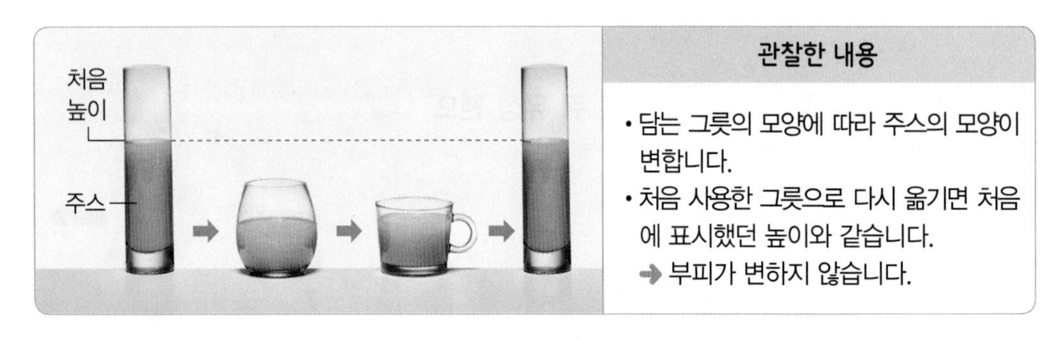

6 **물과 주스의 모양과 부피 변화를 비교해 봅시다.**

구분	물	주스
모양 변화	담는 그릇의 모양에 따라 변합니다.	담는 그릇의 모양에 따라 변합니다.
부피 변화	변하지 않습니다.	변하지 않습니다.

정리

물과 주스의 공통점은 무엇인가요?

➔ 눈으로 볼 수 있습니다.

➔ 흐릅니다.

➔ 담는 그릇의 모양에 따라 물과 주스의 모양은 변하지만, 부피는 변하지 않습니다.

1 액체

담는 그릇에 따라 모양은 변하지만, 부피는 변하지 않는 물질의 상태를 액체라고 합니다.

물과 주스는 액체 상태입니다.

2 액체의 성질

① 눈으로 볼 수 있지만, 흘러내려서 손으로 잡을 수 없습니다.

② 담는 그릇에 따라 모양이 변하지만, 부피는 변하지 않습니다.
└• 어떤 모양의 그릇에도 담을 수 있습니다.

물은 눈으로 볼 수 있지만, 흘러내려서 손으로 잡을 수 없습니다.

같은 부피의 주스를 여러 가지 모양의 그릇에 담으면 모양은 변하지만, 부피는 변하지 않습니다.

3 우리 주변에서 볼 수 있는 액체의 종류

▲ 식용유

▲ 간장

▲ 우유

▲ 액체 세제

▲ 바닷물

핵심 개념 확인하기

정답과 해설 • 10쪽

✔ ❶ ☐☐: 담는 그릇에 따라 모양은 변하지만, 부피는 변하지 않는 물질의 상태입니다.

✔ **액체의 성질**

물은 눈으로 ❷ ☐ 수 있지만, 흘러내려서 손으로 ❸ ☐☐ 수 없습니다.

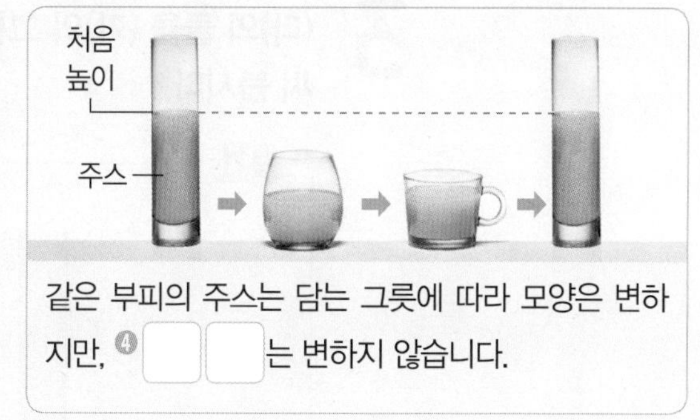

같은 부피의 주스는 담는 그릇에 따라 모양은 변하지만, ❹ ☐☐는 변하지 않습니다.

✔ **우리 주변에서 볼 수 있는 ❺ ☐☐의 종류**: 식용유, 간장, 우유, 액체 세제, 바닷물 등이 있습니다.

문제로 완성하기

액체의 성질 알아보기

1 **오른쪽 물과 주스를 관찰한 결과로 옳지 않은 것은 어느 것입니까?** (   )

① 물은 투명하다.
② 물은 흘러내린다.
③ 주스는 노란색이다.
④ 주스는 눈으로 볼 수 있다.
⑤ 물과 주스는 모두 손으로 잡을 수 있다.

2~3 **다음은 (가) 그릇에 물을 넣고 물의 높이를 표시한 다음 (나)와 (다) 그릇에 차례대로 옮겨 담은 모습입니다.**

2 **물을 (나)와 (다) 순으로 다른 그릇에 옮겨 담을 때 공통적으로 변하는 것을 보기 에서 모두 골라 기호를 써 봅시다.**

보기
- ㉠ 물의 색깔
- ㉡ 물의 모양
- ㉢ 물의 부피
- ㉣ 물이 담긴 높이

(   )

3 **(다)의 물을 (가)의 그릇에 다시 옮겨 담은 모습으로 옳은 것을 보기 에서 골라 기호를 써 봅시다.**

보기

(   )

액체의 성질

4 액체의 성질로 옳은 것은 어느 것입니까? (　　　)

① 모두 투명하다.
② 눈으로 볼 수 없다.
③ 담은 그릇을 기울여도 모양은 일정하다.
④ 담는 그릇이 바뀌어도 모양이 변하지 않는다.
⑤ 담는 그릇이 바뀌어도 부피가 변하지 않는다.

5 오른쪽 식용유, 간장, 액체 세제의 공통점으로 옳은 것은 어느 것입니까? (　　　)

① 단단하다.
② 고체이다.
③ 손으로 쉽게 잡을 수 있다.
④ 담는 그릇에 따라 모양이 변한다.
⑤ 담는 그릇이 바뀌면 부피가 달라진다.

▲ 식용유

▲ 간장

▲ 액체 세제

우리 주변에서 볼 수 있는 액체의 종류

6 액체인 것을 보기 에서 모두 골라 기호를 써 봅시다.

보기

㉠ ▲ 의자
㉡ ▲ 공책
㉢ ▲ 우유
㉣ ▲ 바닷물

(　　　　　　　　　　)

기체의 성질

탐구로 시작하기 기체의 성질 알아보기

과정 및 결과

활동 1 기체가 있는지 알아보기

1 부풀린 풍선을 손등에 가까이 대고 풍선 입구를 쥐었던 손을 살짝 놓으면서 나타나는 현상을 관찰해 봅시다.

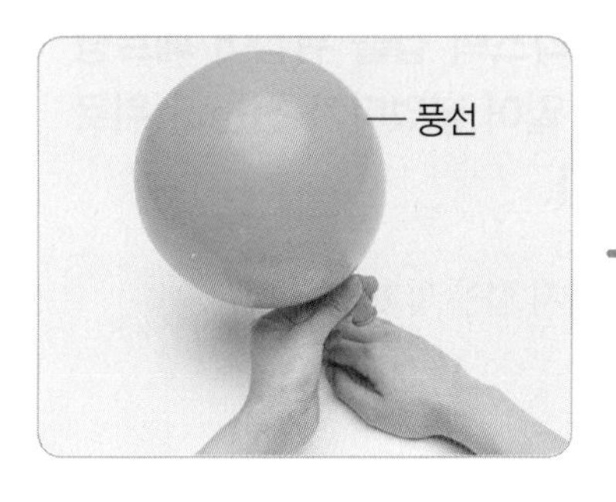

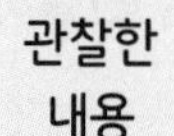

관찰한 내용

- 시원합니다.
- 손등에 바람이 느껴집니다.
- 풍선의 크기가 줄어듭니다.

2 빈 플라스틱병의 입구 부분을 물이 담긴 수조에 넣고 플라스틱병을 손으로 누르면서 나타나는 변화를 관찰해 봅시다.

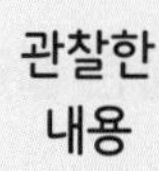

관찰한 내용

- 플라스틱병 입구에서 공기 방울이 생깁니다.
- 공기 방울이 물 위로 올라옵니다.
- 보글보글 소리가 납니다.

활동 2 여러 가지 모양의 풍선 불기

1 여러 가지 모양의 풍선에 ⁺공기 주입기로 공기를 넣은 다음 풍선을 채우고 있는 공기의 모양은 어떠한지 관찰해 봅시다.

⊕ **공기 주입기** 물체에 공기를 넣는 기구

➔ 풍선의 모양에 따라 공기의 모양이 변합니다.

➔ 공기는 풍선 안을 가득 채우고 있습니다.

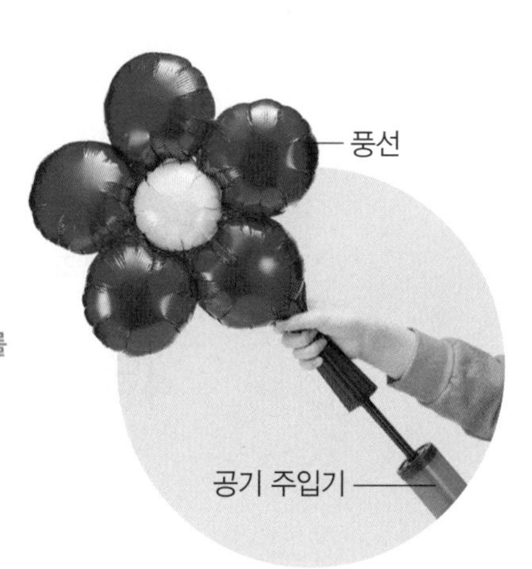

정리

- **활동 1 로 알 수 있는 사실은 무엇인가요?**

➔ 우리 주변에 기체(공기)가 있습니다.

- **활동 2 로 알 수 있는 사실은 무엇인가요?**

➔ 기체인 공기는 담는 용기에 따라 모양이 변하고, 담긴 용기를 가득 채웁니다.

탐구로 시작하기

활동 3 기체가 ⊕공간을 차지하는지 알아보기

⊕공간 아무 것도 없는 빈 곳

1 수조에 담긴 물의 높이를 펜으로 표시한 뒤 물 위에 페트병 뚜껑을 띄웁니다.

2 바닥에 구멍이 뚫리지 않은 플라스틱 컵을 뒤집어 페트병 뚜껑을 덮은 뒤 수조 바닥까지 밀어 넣었다가 천천히 위로 올리면서 변화를 관찰해 봅시다.

구분	바닥까지 컵을 밀어 넣을 때	천천히 위로 올릴 때
결과		
페트병 뚜껑의 위치	내려갑니다.	올라갑니다.
수조 안 물의 높이	조금 높아집니다.	다시 낮아집니다.

3 바닥에 구멍이 뚫린 플라스틱 컵을 뒤집어 과정 2와 같은 방법으로 실험해 봅시다.

구분	바닥까지 컵을 밀어 넣을 때	천천히 위로 올릴 때
결과		
페트병 뚜껑의 위치	그대로 있습니다.	그대로 있습니다.
수조 안 물의 높이	변화가 없습니다.	변화가 없습니다.

4 과정 2와 과정 3의 변화가 나타난 까닭을 비교해 봅시다.

과정 2의 변화가 나타난 까닭	과정 3의 변화가 나타난 까닭
컵 안의 공기가 공간을 차지하기 때문 ➔ 컵 안의 공기 부피만큼 물이 밀려나와 수조 안 물의 높이가 높아집니다.	컵 안의 공기가 구멍으로 빠져나가기 때문 ➔ 물이 컵 안으로 들어가 수조 안 물의 높이가 변하지 않습니다.

정리

활동 3으로 알 수 있는 공기의 성질은 무엇인가요?

➔ 기체인 공기는 공간을 차지하고 있습니다.

1 기체

공기처럼 담는 용기에 따라 모양이 변하고, 담긴 용기를 가득 채우는 물질의 상태를 기체라고 합니다.

우리 주변에 공기가 있음을 알 수 있는 현상

연이 하늘 높이 날고 있습니다.

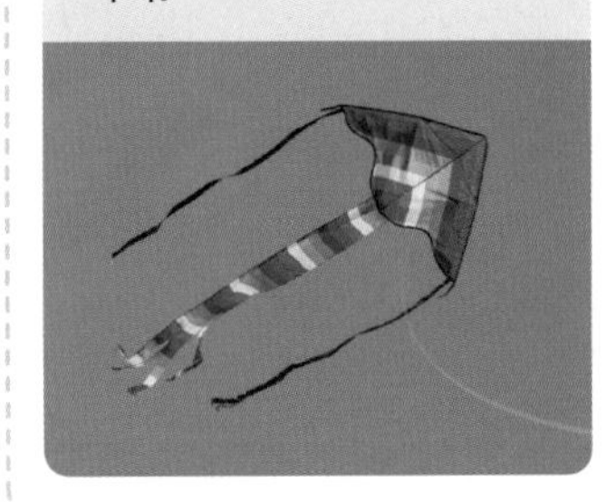

나뭇가지가 바람에 흔들립니다.

튜브 안에 공기가 들어 있습니다.

펄럭이는 깃발, 돌아가는 바람개비로도 공기가 있다는 것을 알 수 있어요.

2 기체의 성질

① 기체는 담는 용기에 따라 모양이 변하고, 담긴 용기를 가득 채웁니다.

② 기체는 공간을 차지합니다.

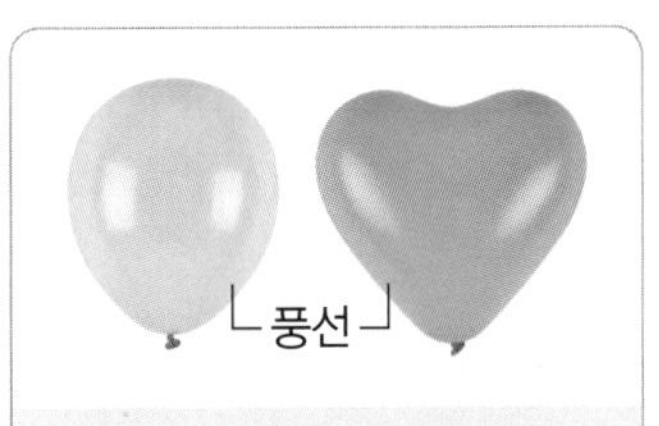

풍선에 공기를 넣으면 풍선의 모양대로 변하고, 공기가 풍선 안을 가득 채웁니다.

페트병 입구에 풍선을 끼워 넣은 뒤 풍선을 불면 잘 부풀지 않습니다.

뚜껑을 닫은 페트병의 양옆을 손으로 눌러도 페트병이 완전히 찌그러지지 않습니다.

→ 페트병 안에 들어 있는 공기가 공간을 차지하기 때문입니다.

3 기체가 공간을 차지하는 성질을 이용한 예

풍선 놀이 틀, 축구공, 공기베개, 막대풍선 등은 기체가 공간을 차지하는 성질을 이용한 예입니다. (풍선 놀이 틀: 공기를 넣어 사용하는 공기 구조물입니다.)

핵심 개념 확인하기

정답과 해설 ● 10쪽

✔ ❶ ☐☐: 담는 용기에 따라 모양이 변하고, 담긴 용기를 가득 채우는 물질의 상태입니다.

✔ **기체의 성질**

- 기체는 담는 용기에 따라 ❷ ☐☐이 변하고, 담긴 용기를 ❸ ☐☐ 채웁니다.
- 기체는 ❹ ☐☐을 차지합니다.
- 풍선 놀이 틀, 축구공, 공기베개, 막대풍선 등은 기체가 공간을 ❺ ☐☐하는 성질을 이용한 예입니다.

문제로 완성하기

기체의 성질 알아보기

1 **다음은 부풀린 풍선의 입구를 손등에 가까이 대고 풍선 입구를 쥐었던 손을 살짝 놓으면서 나타나는 현상을 관찰한 결과입니다. (　　) 안에 알맞은 말을 써 봅시다.**

부풀린 풍선 속에 있던 (　　　)이/가 빠져나오면서 바람이 부는 것처럼 시원한 느낌이 든다.

(　　　　　　　　　)

2~4 **다음과 같이 바닥에 구멍이 뚫리지 않은 플라스틱 컵과 구멍이 뚫린 플라스틱 컵으로 물 위에 띄운 페트병 뚜껑을 덮은 뒤 수조 바닥까지 밀어 넣었습니다.**

(가)

(나)

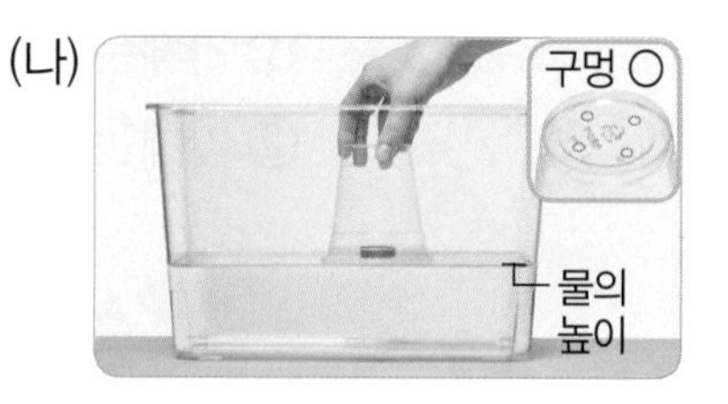

2 **(가)의 결과로 옳은 것을 두 가지 골라 써 봅시다.** (　　　,　　　)

① 수조 안 물의 높이가 낮아진다.
② 수조 안 물의 높이는 변화가 없다.
③ 수조 안 물의 높이가 조금 높아진다.
④ 페트병 뚜껑이 그대로 물 위에 떠 있다.
⑤ 페트병 뚜껑이 수조의 바닥에 가라앉는다.

3 **(나)에서 수조 안 물의 높이 변화로 옳은 것을 보기 에서 골라 기호를 써 봅시다.**

보기
㉠ 높아진다.　　㉡ 낮아진다.　　㉢ 변화가 없다.

(　　　　　　　　　)

4 앞의 실험을 통해 알 수 있는 사실로 옳은 것은 어느 것입니까? (　　　)

① 공기는 공간을 차지한다.
② 페트병은 투명한 물체이다.
③ 공기는 우리 눈에 잘 보인다.
④ 플라스틱 컵은 부서지지 않는다.
⑤ 수조에는 물 이외에 다른 물체도 담을 수 있다.

기체

5 우리 주변에 공기가 있음을 알 수 있는 현상이 아닌 것을 보기 에서 골라 기호를 써 봅시다.

보기
㉠ 연을 날린다.
㉡ 사진 촬영을 한다.
㉢ 나뭇가지가 바람에 흔들린다.
㉣ 튜브 안에 공기가 들어 있다.

(　　　　　)

기체의 성질

6 기체의 성질에 대한 설명으로 옳지 않은 것은 어느 것입니까? (　　　)

① 공간을 차지한다.
② 담긴 용기를 가득 채운다.
③ 담는 용기에 따라 모양이 변한다.
④ 눈으로 볼 수 있고, 손으로 잡을 수 있다.
⑤ 페트병 입구에 풍선을 끼워 넣은 뒤 풍선을 불어도 잘 부풀지 않는 까닭은 페트병에 공기가 들어 있기 때문이다.

기체가 공간을 차지하는 성질을 이용한 예

7 기체가 공간을 차지하는 성질을 이용한 예가 아닌 것은 어느 것입니까? (　　　)

① 축구공
② 나무 막대
③ 막대풍선
④ 공기베개
⑤ 풍선 놀이 틀

16일차

기체의 이동

눈에 보이지 않는 기체가 공간을 이동하는 것을 어떻게 알 수 있을까요?
기체가 공간을 이동하는 성질을 이용한 예에는 어떤 것이 있을까요?

탐구로 시작하기 기체가 공간을 이동하는지 알아보기

1 주사기 한 개는 피스톤을 밀어 놓고 다른 한 개는 피스톤을 당겨 놓습니다.

2 각 주사기의 입구를 비닐관의 양쪽에 끼웁니다.

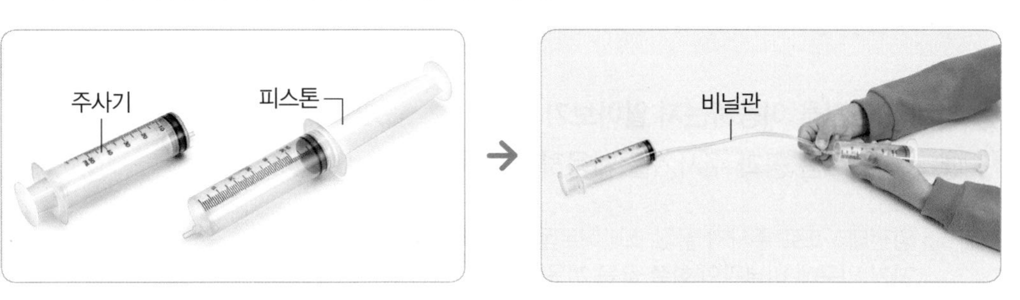

3 당겨 놓은 주사기의 피스톤을 밀면서 어떤 변화가 나타나는지 관찰해 봅시다.

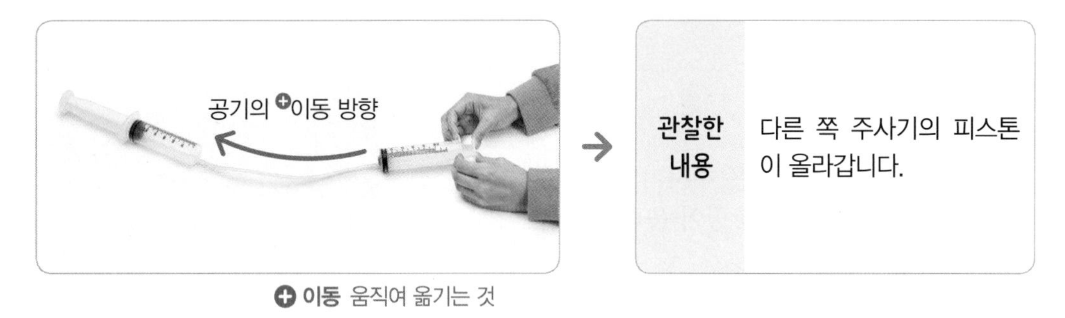

관찰한 내용	다른 쪽 주사기의 피스톤이 올라갑니다.

⊕ **이동** 움직여 옮기는 것

4 밀었던 주사기의 피스톤을 당기면서 어떤 변화가 나타나는지 관찰해 봅시다.

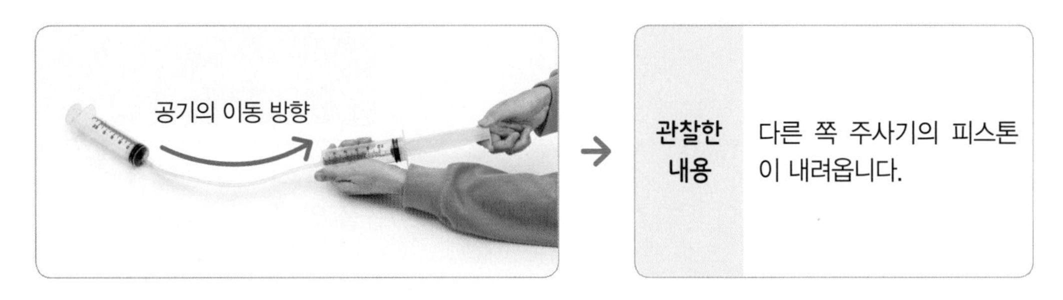

관찰한 내용	다른 쪽 주사기의 피스톤이 내려옵니다.

정리

- **한쪽 주사기의 피스톤을 밀거나 당길 때 다른 쪽 주사기의 피스톤이 움직이는 까닭은 무엇일까요?**

➜ 한쪽 주사기 안에 들어 있던 공기가 다른 쪽 주사기로 이동했기 때문입니다.

- **이 활동으로 알 수 있는 공기의 성질은 무엇인가요?**

➜ 기체인 공기는 다른 곳으로 이동할 수 있습니다.

개념 이해하기

1 기체가 공간을 이동하는 성질

풍선을 불 때 공기 주입기를 사용하면 풍선 바깥에 있던 공기가 풍선 안으로 이동하는 것처럼 기체는 다른 곳으로 이동할 수 있습니다.

기체가 공간을 차지하는 성질이 있는 것도 기억해 두세요.

2 기체가 공간을 이동하는지 알아보기

① 스타이로폼 공과 주사기를 사용하여 알아보기

❶ 양면테이프로 주사기 끝에 스타이로폼 공을 붙인 다음 주사기 입구에 비닐관의 한쪽 끝을 끼웁니다.
❷ 다른 주사기의 피스톤을 당겨 놓고 주사기 입구에 비닐관의 다른 한쪽을 끼웁니다.
❸ 당겨 놓은 주사기의 피스톤을 밀거나 당기면서 어떤 변화가 나타나는지 관찰합니다.

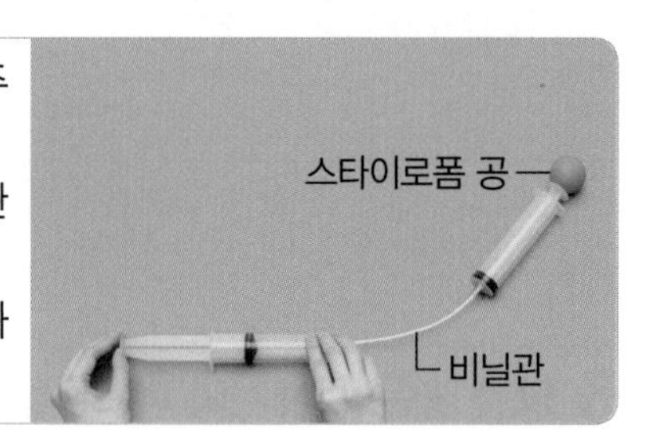

주사기의 피스톤을 밀 때	당겨 놓은 주사기의 피스톤을 밀면 스타이로폼 공이 움직입니다.	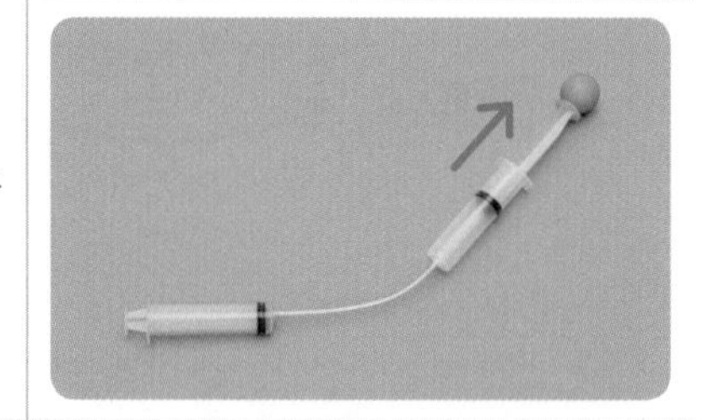
주사기의 피스톤을 당길 때	밀었던 주사기의 피스톤을 다시 당기면 스타이로폼 공이 제자리로 돌아옵니다.	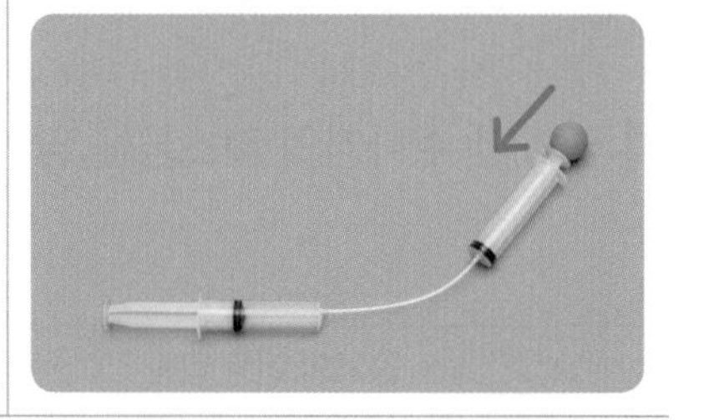

주사기 안의 공기가 다른 곳으로 이동했음을 알 수 있습니다.

② 주사기에서 나오는 공기의 움직임 알아보기

❶ 피스톤을 당겨 놓은 주사기에 비닐관을 연결한 다음 비닐관 끝이 친구의 손등을 향하게 합니다.
❷ 친구의 손등을 향해 주사기의 피스톤을 눌러 봅니다.

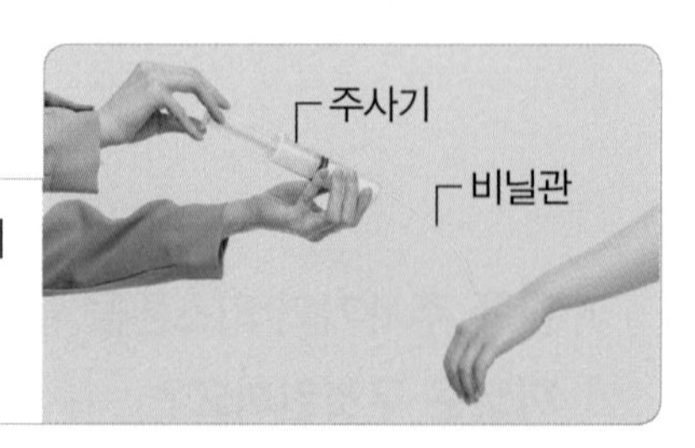

무엇인가 손등으로 지나가는 느낌이 듭니다. → 주사기 안의 공기가 손등으로 이동했음을 알 수 있습니다.

3 기체가 공간을 이동하는 성질을 이용한 예

자전거 타이어에 공기 넣기, 비눗방울 불기, 선풍기 켜기, 공기의 흐름에 따라 이동하는 바람 인형 등은 기체가 공간을 이동하는 성질을 이용한 예입니다.

자전거 타이어에 공기를 넣습니다.

비눗방울을 붑니다.

선풍기를 켜면 공기가 이동합니다.

공기의 흐름에 따라 바람 인형이 이동합니다.

16 일차

핵심 개념 확인하기

정답과 해설 • 11쪽

- **기체의 성질**: 풍선을 불 때 공기 주입기를 사용하면 풍선 바깥에 있던 공기가 풍선 안으로 이동하는 것처럼 기체는 다른 곳으로 ❶ ☐☐ 할 수 있습니다.
- **스타이로폼 공과 주사기를 사용하여 기체인 공기의 성질 알아보기**

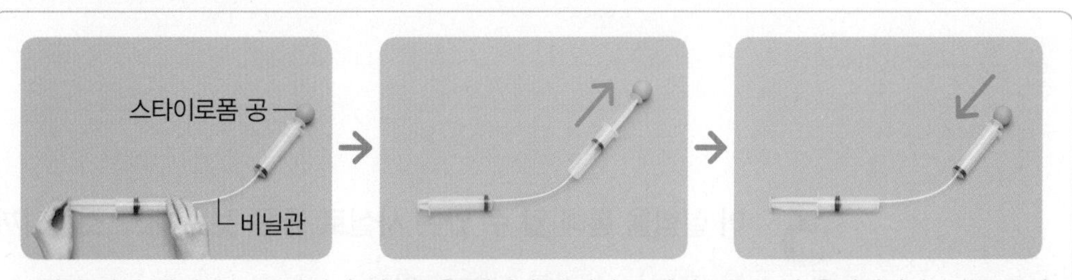

그림과 같이 장치하고 주사기의 피스톤을 밀거나 당기면 스타이로폼 공이 움직입니다. 이를 통해 공기가 다른 곳으로 ❷ ☐☐ 했음을 알 수 있습니다.

- **기체가 공간을 ❸ ☐☐ 하는 성질을 이용한 예**: 자전거 타이어에 공기 넣기, 비눗방울 불기, 선풍기 켜기, 공기의 흐름에 따라 이동하는 바람 인형 등이 있습니다.

문제로 완성하기

1~3 그림과 같이 주사기 두 개를 비닐관으로 연결한 뒤 오른쪽 주사기의 피스톤을 밀었다가 다시 당겼습니다.

(가)

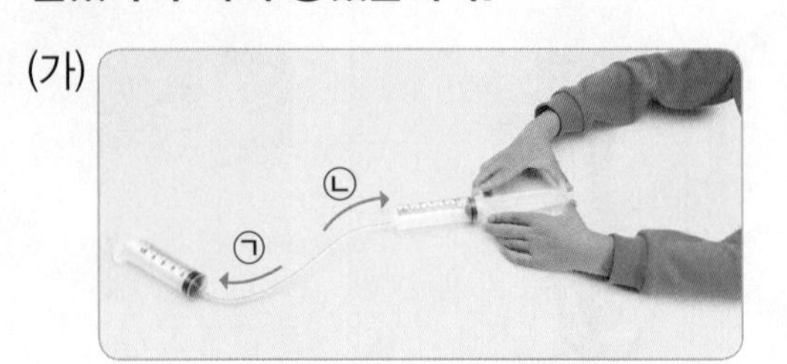

▲ 오른쪽 주사기의 피스톤 밀기

(나)

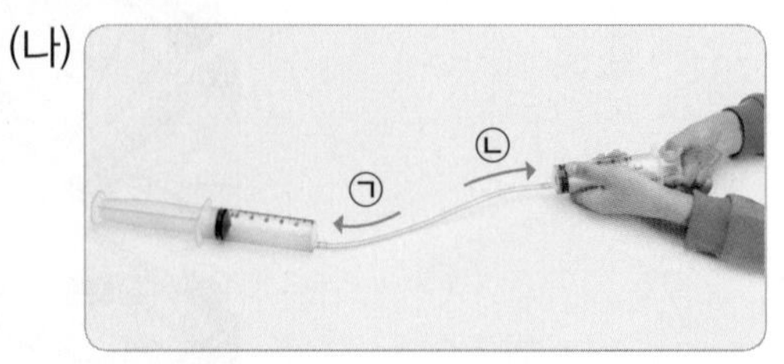

▲ 밀었던 주사기의 피스톤을 다시 당기기

기체가 공간을 이동하는지 알아보기

1 (가)와 같이 오른쪽 주사기의 피스톤을 밀면 공기는 ㉠, ㉡ 중 어떤 방향으로 이동하는지 기호를 써 봅시다.

( )

2 (나)와 같이 밀었던 주사기의 피스톤을 다시 당겼을 때에 대한 설명으로 옳은 것을 두 가지 골라 써 봅시다. (,)

① 다른 쪽 주사기의 피스톤이 움직인다.
② 다른 쪽 주사기의 피스톤은 움직이지 않는다.
③ 주사기 안의 공기는 이동하지 않는다.
④ 주사기 안의 공기가 ㉠ 방향으로 이동한다.
⑤ 주사기 안의 공기가 ㉡ 방향으로 이동한다.

3 이 실험을 통해 알 수 있는 사실로 옳은 것은 어느 것입니까? ( )

① 공기는 일정한 모양이 있다.
② 공기는 우리 눈에 잘 보인다.
③ 공기는 다른 곳으로 이동할 수 있다.
④ 주사기에는 공기 이외에 다른 물질도 담을 수 있다.
⑤ 주사기의 피스톤은 액체가 없으면 움직이지 않는다.

◎ 정답과 해설 ● 11쪽

4 오른쪽과 같이 두 개의 주사기를 비닐관으로 연결한 다음 당겨 놓은 주사기의 피스톤을 밀었다가 다시 당겼습니다. 이때 스타이로폼 공의 변화로 옳은 것을 찾아 선으로 연결해 봅시다.

스타이로폼 공
비닐관

(1)	주사기의 피스톤을 민다. •	• ㉠	스타이로폼 공이 제자리로 돌아온다.
(2)	주사기의 피스톤을 당긴다. •	• ㉡	스타이로폼 공이 움직인다.

기체가 공간을 이동하는 성질을 이용한 예

5 튜브에 공기를 채우는 것과 관계있는 기체의 성질은 무엇입니까? (   )

① 기체는 눈에 보이지 않는다.
② 기체는 손으로 잡을 수 없다.
③ 기체는 색깔과 냄새가 없다.
④ 기체는 공간을 이동할 수 있다.
⑤ 기체는 모양과 부피가 변하지 않는다.

6 기체가 공간을 이동하는 성질을 이용한 예가 아닌 것은 어느 것입니까? (   )

①

▲ 풍선 놀이 틀

②

▲ 비눗방울 불기

③
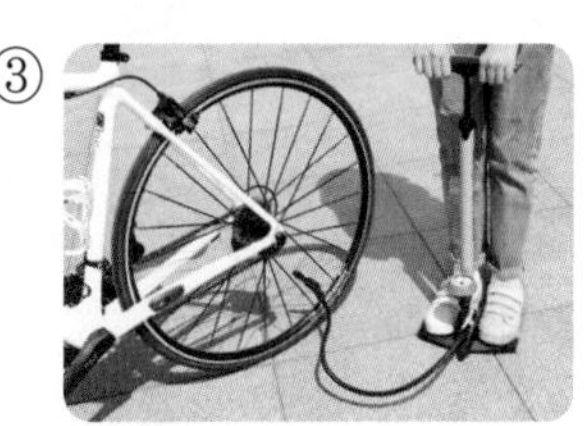
▲ 타이어에 공기 넣기

④

▲ 움직이는 바람 인형

⑤

▲ 선풍기 켜기

17일차

기체의 무게

찌그러진 튜브와 팽팽한 튜브의
무게는 같을까요?

탐구로 시작하기 기체가 무게가 있는지 알아보기

1 페트병 입구에 공기 주입 마개를 끼운 뒤 전자저울에 올려놓고 ⊕무게를 측정해 봅시다.

➜ 공기 주입 마개를 끼운 페트병의 무게는 46.9 g입니다. ⊕ **무게** 물체의 무거운 정도

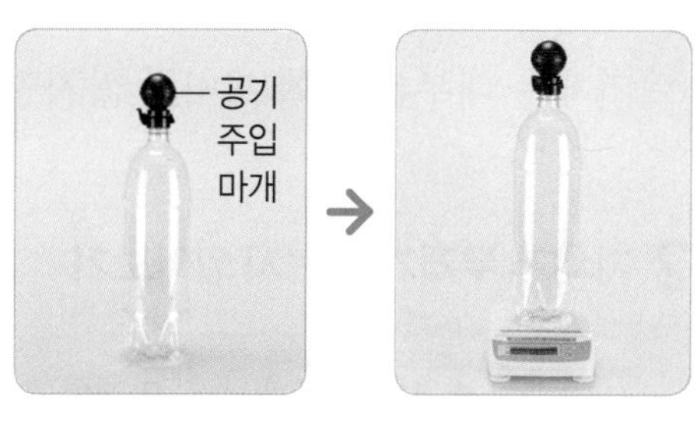

2 공기 주입 마개를 눌러 페트병에 공기를 가득 채웁니다.

3 공기를 가득 채운 페트병을 전자저울에 올려놓고 무게를 측정해 봅시다.

➜ 공기 주입 마개를 눌러 공기를 가득 채운 페트병의 무게는 47.5 g입니다.

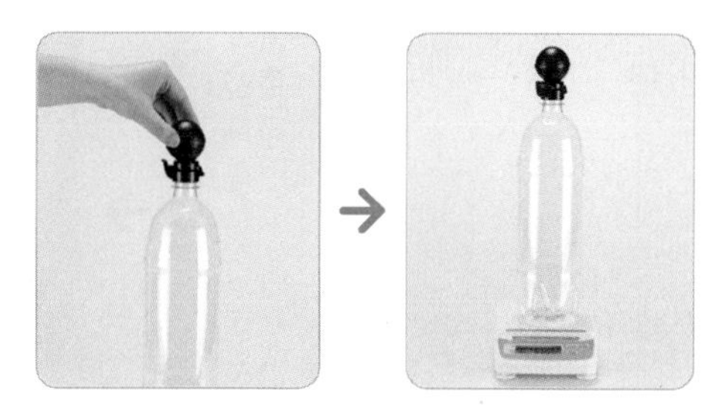

4 과정 1과 과정 3에서 측정한 페트병의 무게를 비교해 봅시다.

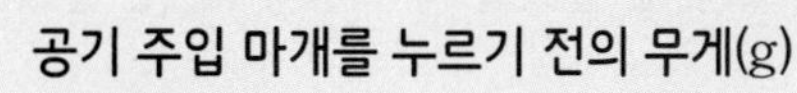

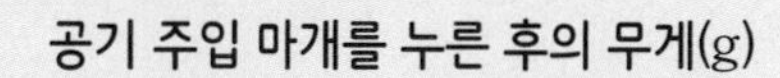

➜ 공기 주입 마개를 누르기 전보다 공기 주입 마개를 누른 후에 무게가 늘어납니다.

5 과정 4와 같은 결과가 나타난 까닭을 써 봅시다.

➜ 공기 주입 마개를 눌러 페트병에 공기를 더 넣었기 때문입니다.

정리

이 활동으로 알 수 있는 기체의 성질은 무엇인가요?

➜ 기체인 공기는 무게가 있습니다.

개념 이해하기

1 기체의 무게

기체는 대부분 눈에 보이지 않지만, 고체나 액체와 같이 무게가 있습니다.

2 기체가 무게가 있는지 알아보기

❶ 페트병 입구에 공기 주입 마개를 끼운 뒤 전자저울에 올려놓고 무게를 측정합니다.
❷ 공기 주입 마개를 열 번 눌러 페트병에 공기를 넣은 뒤 전자저울로 무게를 측정합니다.

❸ 공기 주입 마개를 누르는 횟수를 늘리면서 전자저울로 무게를 측정합니다.

↓

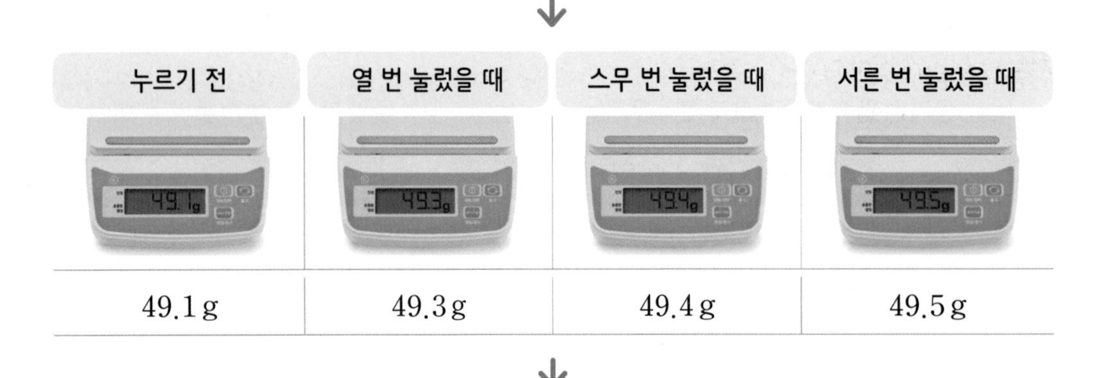

누르기 전	열 번 눌렀을 때	스무 번 눌렀을 때	서른 번 눌렀을 때
49.1 g	49.3 g	49.4 g	49.5 g

↓

공기 주입 마개를 누르는 횟수가 늘어날수록 무게가 늘어납니다. → 기체인 공기는 무게가 있습니다.

3 우리 주변에서 기체가 무게가 있는지 확인하기

① 공기 침대에 공기를 가득 채우면 공기를 넣기 전보다 무거워집니다.

② 문이 닫힌 버스 한 대 안을 가득 채운 공기의 무게는 물이 가득 차 있는 2 L ⊕들이 생수병 60개의 무게(약 120 kg)와 비슷합니다.

⊕ **들이** 통이나 그릇 안에 최대한 넣을 수 있는 액체의 부피

③ 교실 안을 가득 채운 공기의 무게는 약 200 kg이고, 학교 체육관 안을 가득 채운 공기의 무게는 약 5000 kg입니다.

└• 다 자란 코끼리 한 마리의 무게와 비슷합니다.

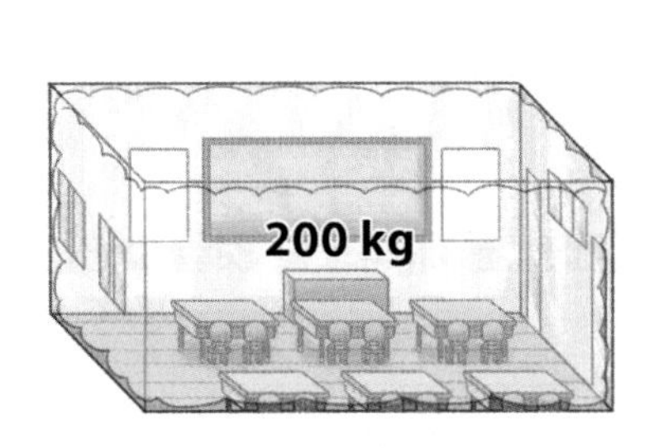

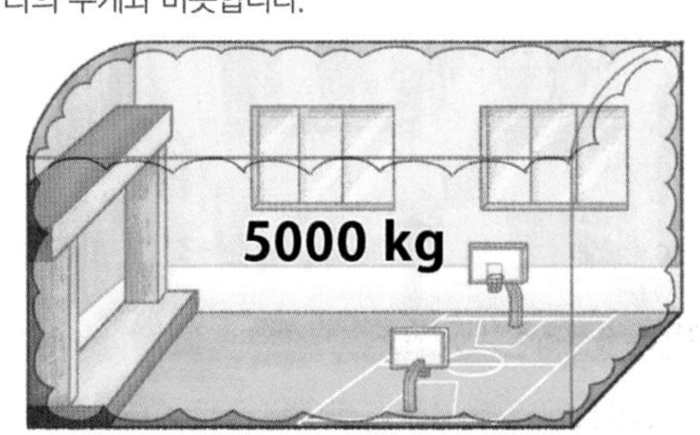

④ 찌그러진 축구공에 공기를 넣으면 무게가 늘어납니다. 축구, 농구, 배구 등의 운동 경기에서는 공정한 경기를 할 수 있도록 공 안의 공기 양을 조절하여 공의 무게를 일정하게 합니다.

핵심 개념 확인하기

정답과 해설 • 11쪽

✔ **기체의 무게**: 기체는 대부분 눈에 보이지 않지만, 고체나 액체와 같이 ❶ ☐☐ 가 있습니다.

✔ **기체가 무게가 있는지 알아보기**

페트병 입구에 공기 주입 마개를 끼운 뒤 공기 주입 마개를 누르면 페트병 안에 ❷ ☐☐ 가 들어가면서 무게가 늘어납니다.	→	기체인 공기는 ❸ ☐☐ 가 있음을 알 수 있습니다.

✔ **우리 주변에서 기체가 무게가 있는지 확인하기**: 찌그러진 축구공에 공기를 넣으면 무게가 ❹ ☐☐ 납니다.

문제로 완성하기

1~3 페트병 입구에 공기 주입 마개를 끼워 전자저울로 무게를 측정한 뒤 공기 주입 마개를 눌러 페트병이 팽팽해질 때까지 공기를 채우고 전자저울로 다시 페트병의 무게를 측정했습니다.

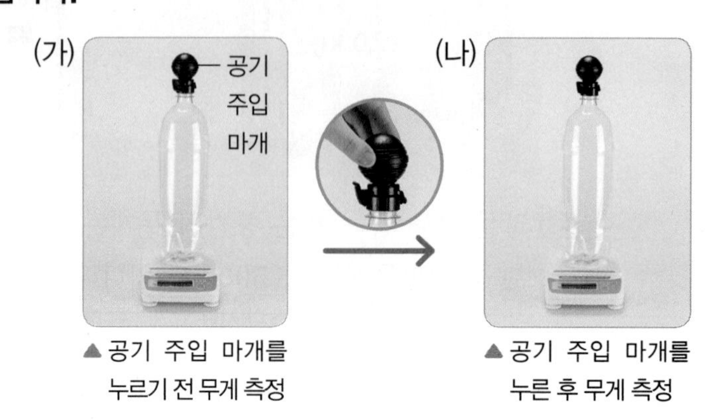

▲ 공기 주입 마개를 누르기 전 무게 측정
▲ 공기 주입 마개를 누른 후 무게 측정

기체가 무게가 있는지 알아보기

1 위 실험 결과 페트병의 무게를 옳게 비교한 것을 보기 에서 골라 기호를 써 봅시다.

보기

㉠ (가)>(나)	㉡ (가)=(나)
㉢ (가)<(나)	㉣ 무게가 계속 변해 비교할 수 없다.

( )

2 페트병의 무게가 1번과 같이 되는 까닭으로 옳은 것은 어느 것입니까? ( )

① 페트병의 부피가 줄었기 때문
② 페트병 속의 공기가 빠져나갔기 때문
③ 페트병 속으로 공기가 더 들어갔기 때문
④ 공기 주입 마개의 무게가 늘어났기 때문
⑤ 공기 주입 마개를 여러 번 누를수록 페트병에 물이 많이 들어가기 때문

3 위 실험으로 알 수 있는 사실은 무엇입니까? ( )

① 공기는 색깔이 있다.
② 공기는 일정한 모양이 있다.
③ 공기는 액체처럼 흘러내린다.
④ 공기는 다른 곳으로 이동할 수 없다.
⑤ 공기는 고체나 액체와 같이 무게가 있다.

4 **페트병 입구에 공기 주입 마개를 끼우고 횟수를 다르게 하여 공기 주입 마개를 누른 뒤 페트병의 무게를 측정했습니다. 측정한 페트병의 무게가 가장 무거운 경우를 보기 에서 골라 기호를 써 봅시다.**

보기
㉠ 공기 주입 마개를 한 번 눌렀을 때
㉡ 공기 주입 마개를 열 번 눌렀을 때
㉢ 공기 주입 마개를 스무 번 눌렀을 때
㉣ 공기 주입 마개를 서른 번 눌렀을 때

( )

우리 주변에서 기체가 무게가 있는지 확인하기

5 **기체인 공기의 무게에 대한 설명으로 옳지 않은 것을 보기 에서 골라 기호를 써 봅시다.**

보기
㉠ 공기는 눈에 보이지 않지만 무게가 있다.
㉡ 찌그러진 축구공에 공기를 넣으면 무게가 늘어난다.
㉢ 학교 교실 안을 가득 채운 공기의 무게는 약 200 kg이다.
㉣ 버스 안을 가득 채운 공기의 무게는 물이 들어 있지 않은 2 L들이 생수병 1개의 무게와 비슷하다.

( )

6 **기체가 무게가 있음을 확인할 수 있는 예로 옳은 것은 어느 것입니까?** ( )

① 코끼리 나팔을 분다.
② 풍선 미끄럼틀에 공기를 넣는다.
③ 자전거 타이어에 공기 주입기로 공기를 넣는다.
④ 페트병 입구에 풍선을 끼워 넣은 뒤 풍선을 불면 잘 부풀지 않는다.
⑤ 공기가 가득 찬 공기 침대는 공기를 모두 뺀 다음 옮기면 힘이 덜 든다.

18일차

상태에 따른 물질의 분류

어항 속 물질들을 고체, 액체, 기체의
세 가지 상태로 분류해 볼까요?
여러 가지 물질을 세 가지 상태로
분류할 수 있는 기준은 무엇일까요?

탐구로 시작하기 물질을 상태에 따라 분류하기

과정 및 결과

1 다음은 우리 주변의 여러 가지 물질을 상태에 따라 분류한 것입니다.

2 과정 **1**과 같이 여러 가지 물질을 고체, 액체, 기체로 분류한 기준은 무엇인지 써 봅시다.

물질	고체	액체	기체
분류한 기준	모양과 부피가 모두 변하지 않습니다.	담는 그릇에 따라 모양은 변하지만, 부피는 변하지 않습니다.	담는 용기에 따라 모양이 변하고, 담긴 용기를 가득 채웁니다.

정리

이 활동으로 알게 된 점은 무엇인가요?

➜ 돌, 나무, 금속은 고체 상태, 물, 우유, 주스는 액체 상태, 공기는 기체 상태의 물질입니다.

개념 이해하기

1 상태에 따른 물질의 분류

우리 주변에 있는 물질은 상태에 따라 고체, 액체, 기체로 분류할 수 있습니다.

2 나무 막대, 물, 공기를 고체, 액체, 기체로 분류하기

① 나무 막대, 물, 공기의 특징 관찰하기

구분	나무 막대	물	공기
눈으로 관찰하기	• 눈으로 볼 수 있습니다. • 네모 모양이고, 연한 갈색입니다.	• 눈으로 볼 수 있습니다. • 투명합니다.	• 눈에 보이지 않습니다. • ⊕지퍼 백을 가득 채웁니다.
플라스틱 그릇에 넣기	• 손으로 잡을 수 있습니다. • 플라스틱 그릇에 넣어도 모양과 부피가 변하지 않습니다.	• 손으로 잡을 수 없습니다. • 흘러내립니다. • 플라스틱 그릇에 넣으면 모양이 변하지만, 부피는 변하지 않습니다.	• 손으로 잡을 수 없습니다. • 눈에 보이지 않으므로 플라스틱 그릇에 넣었는지 확인하기 어렵습니다.

⊕ **지퍼 백** 지퍼를 단 비닐 주머니

② 나무 막대, 물, 공기의 상태와 특징 비교하기

구분	나무 막대	물	공기
상태	고체	액체	기체
특징	• 눈으로 볼 수 있습니다. • 손으로 잡을 수 있습니다. • 담는 그릇에 관계없이 모양과 부피가 변하지 않습니다.	• 눈으로 볼 수 있습니다. • 손으로 잡을 수 없습니다. • 담는 그릇에 따라 모양은 변하지만, 부피는 변하지 않습니다.	• 눈에 보이지 않습니다. • 손으로 잡을 수 없습니다. • 담는 용기에 따라 모양이 변하고, 담긴 용기를 가득 채웁니다.

3 우리 주변의 물질을 고체, 액체, 기체로 분류하기

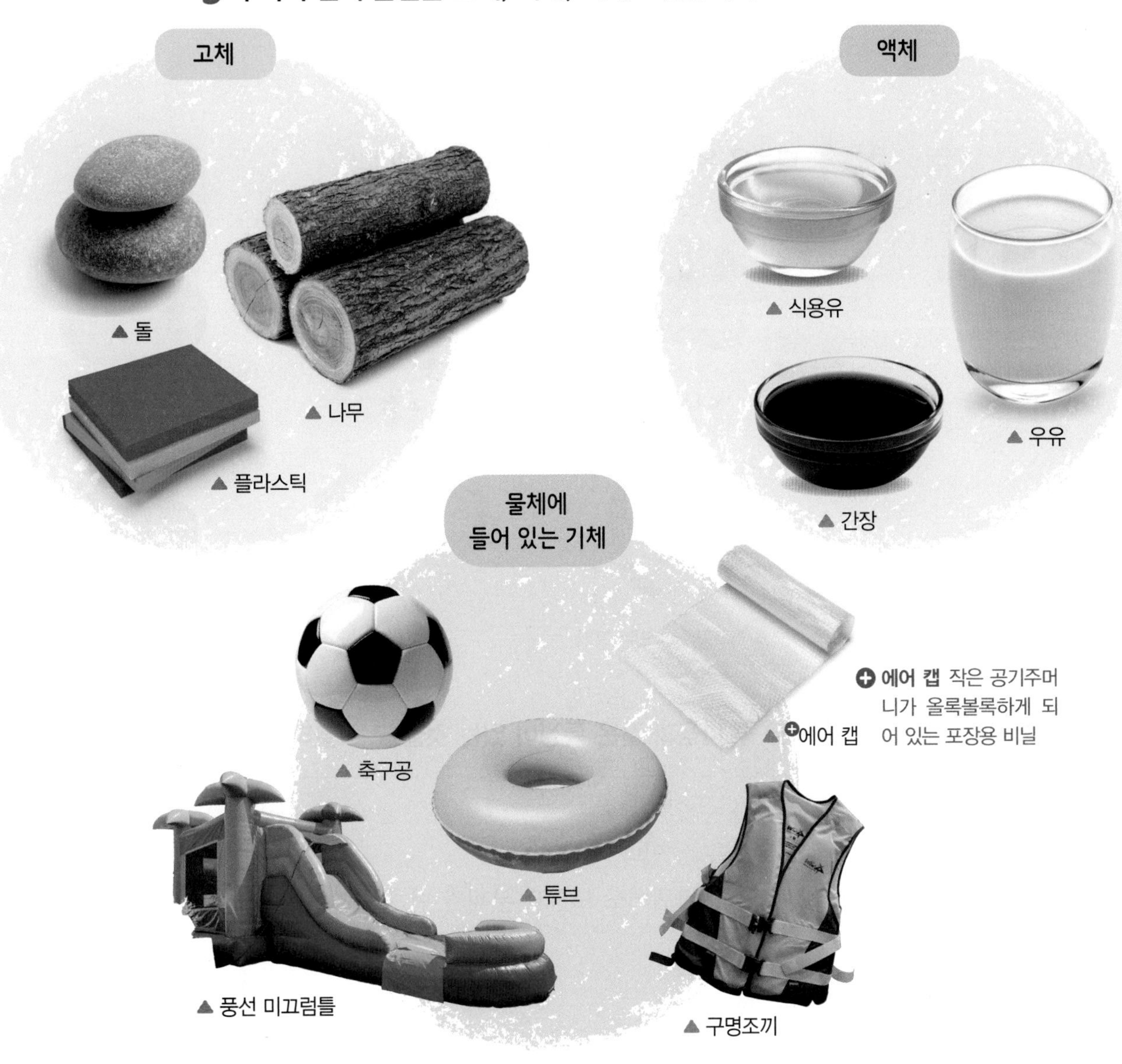

⊕ 에어 캡 작은 공기주머니가 올록볼록하게 되어 있는 포장용 비닐

핵심 개념 확인하기

정답과 해설 • 11쪽

✔ 나무 막대, 물, 공기의 성질을 ○, ×로 비교하기

구분	나무 막대	물	공기
눈으로 볼 수 있나요?	❶	❷	❸
손으로 잡을 수 있나요?	❹	❺	❻
모양이 변하나요?	❼	❽	❾
부피가 변하나요?	❿	⓫	⓬

✔ 우리 주변의 물질을 고체, 액체, 기체로 분류하기

상태	⓭	⓮	⓯
물질	돌, 플라스틱, 나무	식용유, 간장, 우유	축구공 안의 공기

문제로 완성하기

1~4 다음은 우리 주변의 여러 가지 물질입니다.

㉠ ▲ 나무 막대 ㉡ ▲ 물 ㉢ ▲ 돌
㉣ ▲ 축구공 안에 있는 공기 ㉤ ▲ 식용유 ㉥ ▲ 풍선 안에 있는 공기

물질을 상태에 따라 분류하기

1 위 ㉠~㉥ 중 다음과 같은 특징이 있는 것을 모두 골라 기호를 써 봅시다.

- 눈으로 볼 수 있다.
- 손으로 잡을 수 있다.
- 담는 그릇이 바뀌어도 모양과 부피가 변하지 않는다.

( )

2 위 ㉠~㉥ 중 담는 그릇에 따라 모양은 변하지만, 부피는 변하지 않는 것을 옳게 짝지은 것은 어느 것입니까? ( )

① ㉠, ㉢ ② ㉡, ㉤ ③ ㉣, ㉥
④ ㉠, ㉡, ㉢, ㉤ ⑤ ㉡, ㉣, ㉤, ㉥

3 위 ㉣에서 축구공 안에 있는 공기는 눈에 보이지 않고, 손으로 잡을 수 없습니다. 이와 같은 특징을 가진 것은 어느 것입니까? ( )

① ㉠ ② ㉡ ③ ㉢
④ ㉤ ⑤ ㉥

4 앞의 ㉠~㉥을 고체, 액체, 기체로 분류할 때 각 상태에 알맞은 것의 기호를 써 봅시다.

(1) 고체	(2) 액체	(3) 기체

나무 막대, 물, 공기를 고체, 액체, 기체로 분류하기

5 나무 막대, 물, 공기를 옳게 비교한 것은 어느 것입니까? (　　　)

① 나무 막대는 흐르지만, 물은 흐르지 않는다.
② 나무 막대는 눈에 보이지만, 물은 눈에 보이지 않는다.
③ 물은 모양이 변하지만, 공기는 모양이 변하지 않는다.
④ 물은 부피가 변하지만, 공기는 부피가 변하지 않는다.
⑤ 나무 막대는 손으로 잡을 수 있지만, 공기는 손으로 잡을 수 없다.

우리 주변의 물질을 고체, 액체, 기체로 분류하기

6 우리 주변의 물질을 고체, 액체, 기체로 잘못 분류한 것은 어느 것입니까? (　　　)

①

▲ 구명조끼 안의 공기 – 기체

②

▲ 에어 캡 안의 공기 – 고체

③

▲ 우유 – 액체

④

▲ 플라스틱 – 고체

⑤

▲ 간장 – 액체

스스로 정리하기

특별 부록 

정답과 해설 • 12쪽

다음에서 밑줄에 들어갈 문장을 골라 써서 생각 그물을 완성해 보세요.

- 상태에 따라 고체, 액체, 기체로 분류할 수 있다.
- 담는 그릇에 관계없이 모양과 부피가 변하지 않는 물질의 상태
- 담는 그릇에 따라 모양은 변하지만, 부피는 변하지 않는 물질의 상태
- 담는 용기에 따라 모양이 변하고, 담긴 용기를 가득 채우는 물질의 상태
- 공기가 이동한다.
- 무게가 늘어난다.
- 공간을 차지한다.

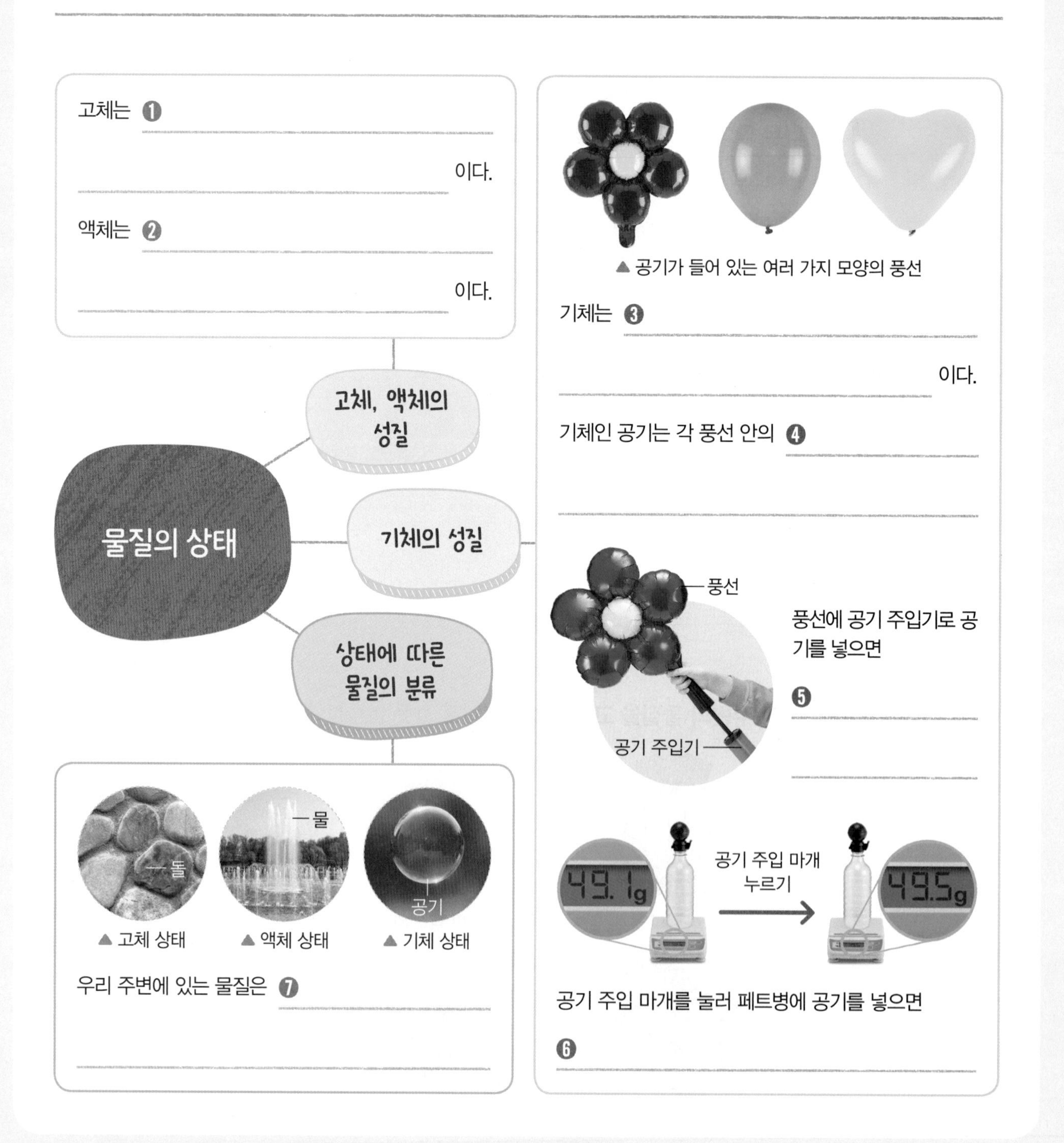

단원 평가하기

(맞은 개수 개)

정답과 해설 • 12쪽

1 **나무 막대와 플라스틱 막대의 공통점으로 옳지 않은 것은 어느 것입니까?** ( )

① 단단하다.
② 눈으로 볼 수 있다.
③ 손으로 잡을 수 있다.
④ 담긴 용기를 항상 가득 채운다.
⑤ 여러 가지 그릇에 옮겨 담아도 모양과 부피가 일정하다.

중요 서술형

2 **다음은 나무 막대를 여러 가지 모양의 그릇에 담아 본 모습입니다. 이를 통해 알 수 있는 나무 막대의 성질을 써 봅시다.**

____

____

3 **칠교판과 상태가 같은 것을 옳게 짝 지은 것은 어느 것입니까?** ( )

① 책, 물 ② 책상, 공기
③ 우유, 주스 ④ 의자, 식용유
⑤ 지우개, 유리컵

4~5 **다음과 같이 투명한 그릇에 주스를 담아 높이를 표시한 뒤 주스를 다른 모양의 그릇에 차례대로 옮겨 담았습니다.**

4 **위와 같이 주스를 옮겨 담을 때에 대한 설명으로 옳은 것은 어느 것입니까?** ( )

① 주스의 높이는 ㉢ 그릇에서 가장 높다.
② 담긴 주스의 부피가 그릇에 따라 다르다.
③ 담긴 주스의 모양이 그릇에 따라 다르다.
④ 담긴 주스의 색깔이 그릇에 따라 다르다.
⑤ ㉡ 그릇에 들어 있는 주스는 손으로 잡을 수 있다.

5 **위 ㉢ 그릇에 담긴 주스를 다시 ㉠ 그릇에 옮겨 담으면 주스의 높이는 어떻게 되는지 알맞은 말에 ○표를 해 봅시다.**

주스의 높이가 처음에 표시했던 높이와 (같다, 다르다).

6 **액체에 대한 설명으로 옳지 않은 것은 어느 것입니까?** ( )

① 흘러내린다.
② 모두 투명하다.
③ 눈으로 볼 수 있다.
④ 담는 그릇에 따라 모양이 변한다.
⑤ 담는 그릇의 모양이 바뀌어도 부피는 변하지 않는다.

7 액체가 아닌 것은 어느 것입니까? (   )

① 간장 ② 우유 ③ 주스
④ 나무 ⑤ 식용유

서술형

8 오른쪽은 다양한 모양의 풍선에 기체가 들어 있는 모습입니다. 이를 통해 알 수 있는 기체의 성질에 대해 써 봅시다.

____

____

9 수조에 물을 반 정도 담고 물 위에 페트병 뚜껑을 띄운 뒤, 오른쪽과 같이 바닥에 구멍이 뚫리지 않은 플라스틱 컵으로 페트병 뚜껑을 덮고 수조 바닥까지 밀어 넣었습니다. 이 실험 결과로 옳은 것을 보기 에서 골라 기호를 써 봅시다.

보기
㉠ 페트병 뚜껑이 내려간다.
㉡ 플라스틱 컵 안에 물이 가득 찬다.
㉢ 수조 안 물의 높이는 변하지 않는다.
㉣ 이 실험을 통해 공기가 무게가 있다는 것을 알 수 있다.

(   )

10 다음 물체들은 공통적으로 공기의 어떤 성질을 이용한 것입니까? (   )

공기 구조물, 막대풍선, 공

① 공기는 무게가 있다.
② 공기는 공간을 차지한다.
③ 공기는 눈에 보이지 않는다.
④ 공기는 색깔과 냄새가 없다.
⑤ 공기는 손으로 잡을 수 없다.

중요

11 주사기 한 개는 피스톤을 밀어 놓고 다른 한 개는 피스톤을 당겨 놓은 상태에서 그림과 같이 장치한 후 오른쪽 피스톤을 당겼을 때에 대한 설명으로 옳은 것을 두 가지 골라 써 봅시다. (,   )

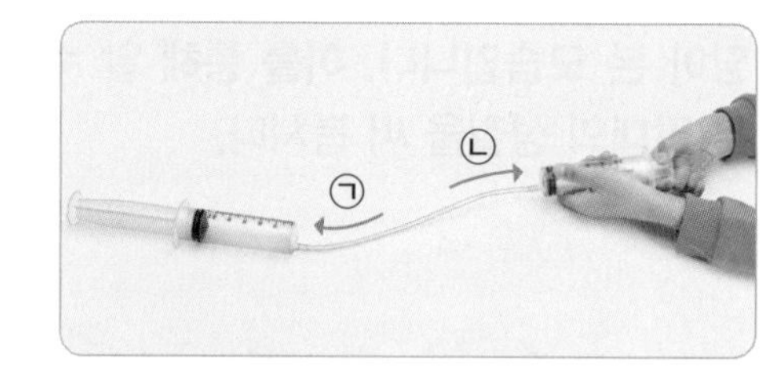

① 아무 변화가 없다.
② ㉠ 방향으로 공기가 이동한다.
③ ㉡ 방향으로 공기가 이동한다.
④ 왼쪽 주사기의 피스톤이 움직인다.
⑤ 이 실험을 통해 공기는 일정한 모양을 가지고 있다는 것을 알 수 있다.

12 오른쪽과 같이 펌프를 사용하면 자전거 타이어가 팽팽해집니다. 펌프를 통해 자전거 타이어에 들어가는 것은 무엇인지 써 봅시다.

(   )

13~15 다음은 페트병 입구에 공기 주입 마개를 끼우고, 공기 주입 마개를 누르는 횟수를 다르게 하여 무게를 측정한 모습입니다.

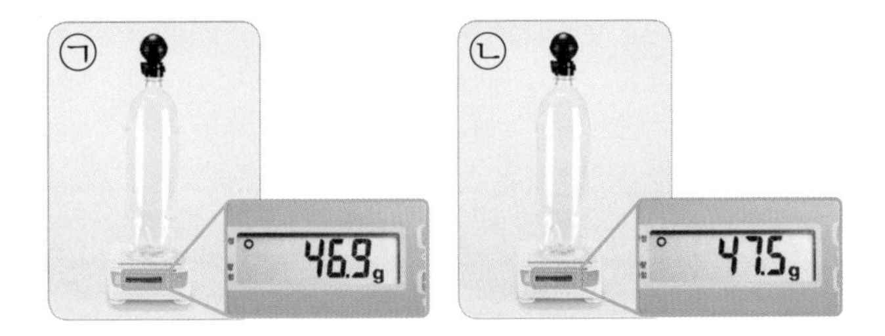

13 위 ㉠과 ㉡ 중 페트병 속에 공기가 더 적게 들어 있는 것을 골라 기호를 써 봅시다.

(　　　　　　　　)

14 위 ㉡의 공기 주입 마개를 여러 번 더 눌러 무게를 재었더니 무게가 늘어났습니다. 늘어난 무게와 같은 것은 어느 것입니까? (　　　)

① 커진 페트병의 부피
② 두꺼워진 페트병의 무게
③ 공기 주입 마개의 늘어난 무게
④ 페트병에 더 넣은 공기의 무게
⑤ 페트병에서 빠져나간 공기의 무게

중요 서술형

15 위 실험을 통해 알 수 있는 사실을 써 봅시다.

---

16 펌프로 찌그러진 축구공에 공기를 넣었을 때 축구공의 무게가 늘어난 까닭은 무엇입니까?

(　　　)

① 축구공이 찢어졌기 때문
② 축구공이 물에 뜨기 때문
③ 공기는 무게가 있기 때문
④ 물이 공기보다 무겁기 때문
⑤ 축구공에 물이 들어갔기 때문

17~19 다음은 물, 공기, 나무 막대입니다.

▲ 물

▲ 지퍼 백 안의 공기

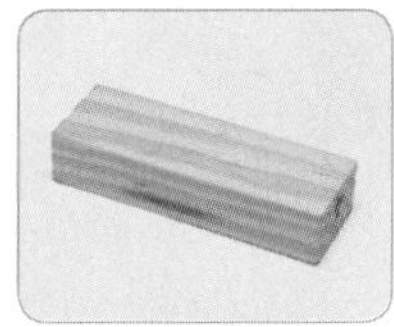
▲ 나무 막대

17 다음은 물, 공기, 나무 막대 중 어느 것을 관찰한 내용인지 써 봅시다.

> • 단단하며, 쌓을 수 있다.
> • 연한 갈색이고, 네모 모양이다.

(　　　　　　　　)

18 물, 공기, 나무 막대를 관찰한 결과로 옳은 것은 어느 것입니까? (　　　)

① 물 – 흘러내린다.
② 물 – 눈에 보이지 않는다.
③ 공기 – 눈으로 볼 수 있다.
④ 공기 – 손으로 잡을 수 있다.
⑤ 나무 막대 – 담는 그릇에 따라 모양이 변한다.

서술형

19 물과 공기의 모양과 부피의 성질을 비교하여 써 봅시다.

---

20 다음 (　) 안에 알맞은 물질을 옳게 짝 지은 것은 어느 것입니까? (　　　)

> (㉠)은/는 눈에 보이고 손으로 잡을 수 있고, (㉡)은/는 눈에 보이지만 손으로 잡을 수 없다.

	㉠	㉡		㉠	㉡
①	우유	공기	②	우유	금속
③	공기	우유	④	금속	우유
⑤	금속	공기			

물체에서 소리가 날 때의 특징

탐구로 시작하기 물체에서 소리가 날 때의 특징 알아보기

1 소리가 나지 않는 트라이앵글에 손을 댈 때와 소리가 나는 트라이앵글에 손을 댈 때 손에 어떤 느낌이 드는지 비교해 봅시다.

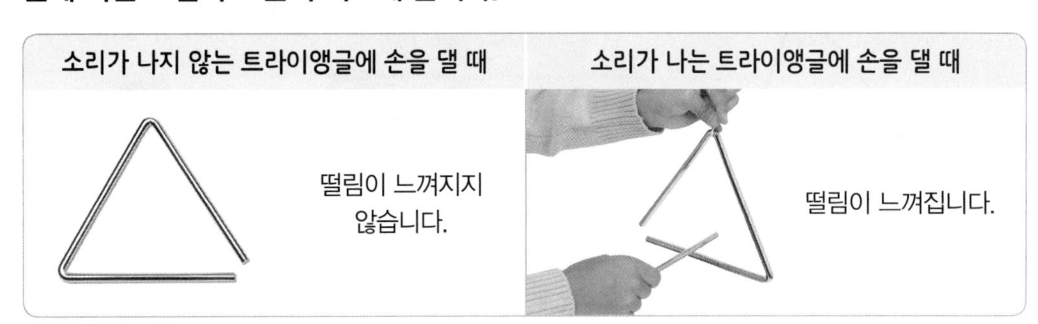

2 소리가 나지 않는 ⁺소리굽쇠와 고무망치로 쳐서 소리가 나는 소리굽쇠를 각각 물에 대 보고 관찰한 결과를 비교해 봅시다.

⊕ **소리굽쇠** 두 갈래로 된 좁은 쇠막대

3 금속 그릇에 고정된 소리가 나지 않는 고무줄과 당겼다가 놓아서 소리가 나는 고무줄의 모습을 관찰하여 비교해 봅시다.

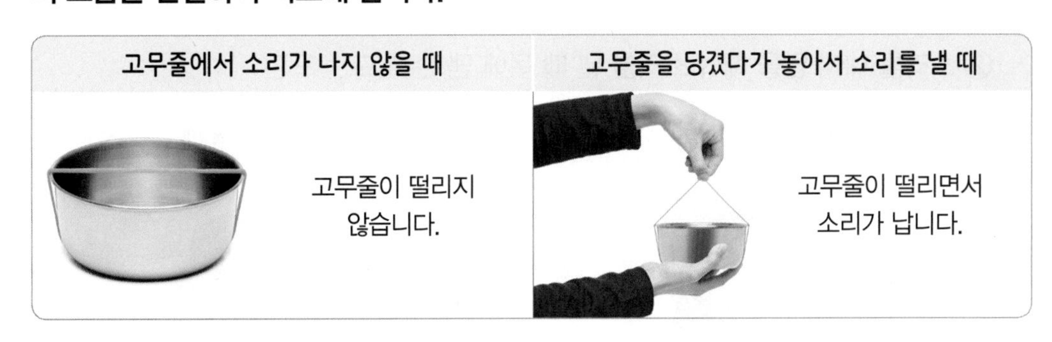

정리

물체에서 소리가 날 때의 공통점은 무엇인가요?

➜ 물체에서 소리가 날 때는 물체가 떨립니다.

개념 이해하기

1 물체에서 소리가 날 때의 특징

트라이앵글에서 소리가 날 때 손을 대면 떨림을 느낄 수 있습니다.

소리가 나는 소리굽쇠를 물에 대면 소리굽쇠의 떨림 때문에 물이 튑니다.

고무줄을 당겼다가 놓아서 소리가 날 때 고무줄의 떨림을 볼 수 있습니다.

➜ 소리가 나는 물체는 떨림이 있습니다.

2 소리가 나지 않는 물체와 소리가 나는 물체의 비교

① 소리가 나지 않는 스피커와 소리가 나는 스피커에 손을 대었을 때의 느낌

소리가 나지 않는 스피커	소리가 나는 스피커
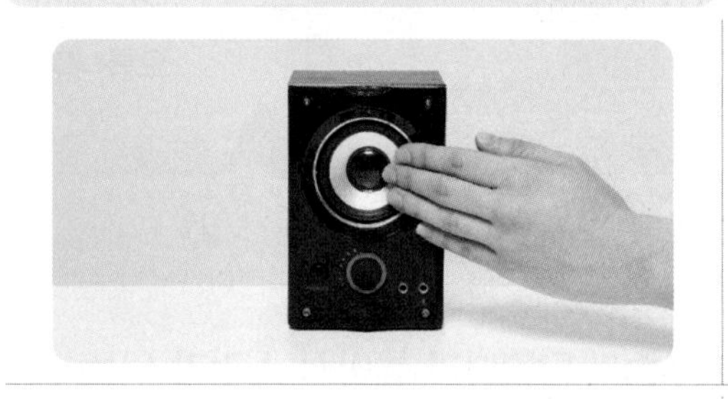	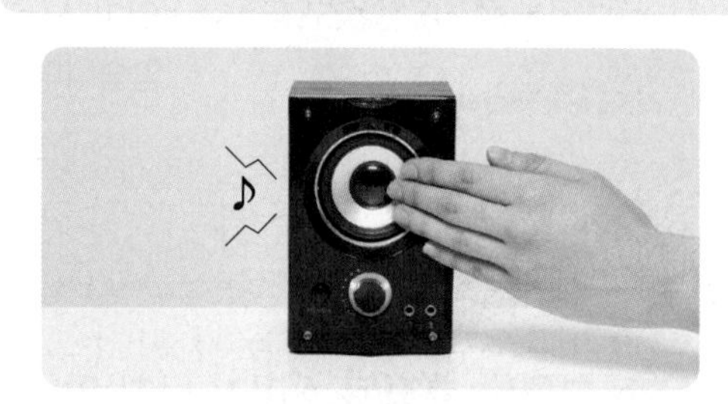
떨림이 느껴지지 않습니다.	떨림이 느껴집니다.

② 소리를 내지 않을 때와 소리를 낼 때 목에 댄 손에 드는 느낌

소리를 내지 않을 때	소리를 낼 때
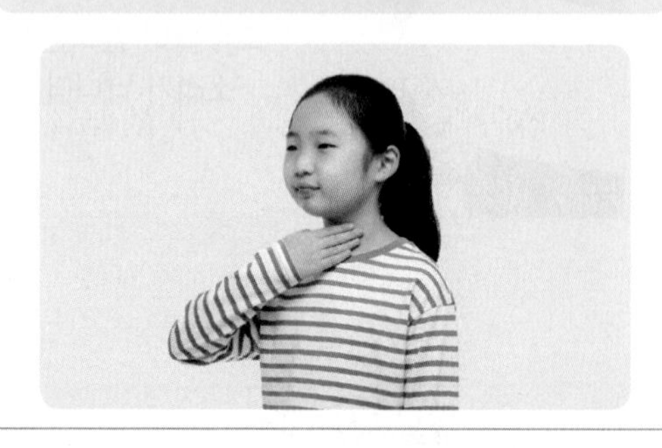	
떨림이 느껴지지 않습니다.	떨림이 느껴집니다.

➜ 소리가 나지 않는 물체에 손을 대면 떨림이 느껴지지 않지만, 소리가 나는 물체에 손을 대면 떨림이 느껴집니다.

3 우리 주변에서 발생하는 소리

북은 북을 칠 때 가죽의 떨림 때문에 소리가 납니다.

벌이 날 때 빠른 날갯짓의 떨림 때문에 소리가 납니다.

우쿨렐레 줄을 퉁길 때 줄이 떨리면서 소리가 납니다.

심벌즈는 심벌즈를 칠 때 쇠판이 떨리면서 소리가 납니다.

우쿨렐레 작은 기타처럼 생긴 현악기

➔ 소리는 물체의 떨림으로 발생합니다.

4 소리가 나는 물체의 소리를 멈추게 하는 방법

소리가 나는 물체를 손으로 잡거나 눌러 떨림을 멈추게 합니다.

소리가 나는 트라이앵글	트라이앵글을 손으로 잡아 떨림을 멈추게 하면 소리가 멈춥니다.
소리가 나는 기타	기타 줄을 손으로 잡아 떨림을 멈추게 하면 소리가 멈춥니다.

핵심 개념 확인하기

정답과 해설 • 13쪽

✔ **물체에서 소리가 날 때의 특징** : 소리가 나는 물체는 ❶ ☐☐ 이 있습니다.

✔ **우리 주변에서 발생하는 소리**

물체	소리가 나는 경우
북	가죽의 ❷ ☐☐ 때문에 소리가 납니다.
벌	벌의 빠른 ❸ ☐☐☐ 때문에 소리가 납니다.
우쿨렐레	우쿨렐레 ❹ ☐ 이 떨리면서 소리가 납니다.
심벌즈	심벌즈를 칠 때 쇠판이 떨리면서 ❺ ☐☐ 가 납니다.

✔ **소리가 나는 물체의 소리를 멈추게 하는 방법**: 소리가 나는 물체를 손으로 잡거나 눌러 떨림을 ❻ ☐☐☐ 합니다.

문제로 완성하기

물체에서 소리가 날 때의 특징

1 **다음은 소리가 나는 물체를 나타낸 것입니다. (   ) 안에 알맞은 말을 써 봅시다.**

▲ 북 연주

▲ 우쿨렐레 연주

소리가 나는 물체는 (   )이/가 있다.

(   )

2 **떨림이 느껴지는 물체가 아닌 것은 어느 것입니까?** (   )

① 소리가 나는 목
② 소리가 나는 기타 줄
③ 고무망치로 친 소리굽쇠
④ 날개를 빠르게 움직이는 벌
⑤ 막대로 치기 전의 트라이앵글

소리가 나지 않는 물체와 소리가 나는 물체의 비교

3 **스피커에 손을 대 보았을 때 손에 떨림이 느껴지는 경우를 골라 기호를 써 봅시다.**

㉠
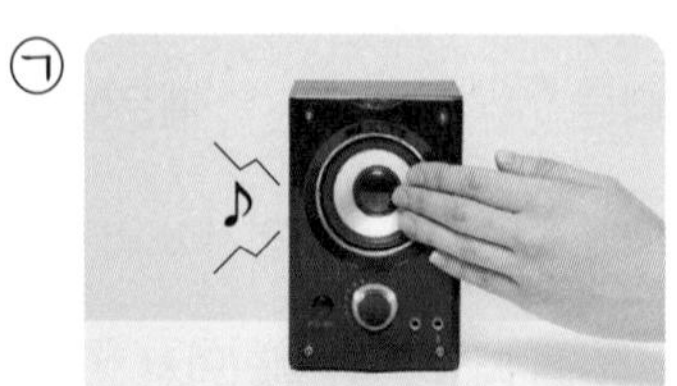
▲ 소리가 나는 스피커에 손을 대 보았을 때

㉡
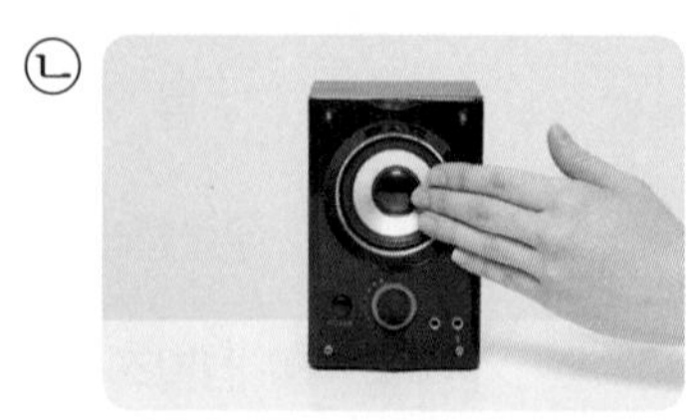
▲ 소리가 나지 않는 스피커에 손을 대 보았을 때

(   )

4 소리가 나는 소리굽쇠를 물에 대었을 때의 모습으로 옳은 것을 골라 기호를 써 봅시다.

㉠ 

㉡ 

( )

우리 주변에서 발생하는 소리

5 소리가 나는 심벌즈에 손을 대 보았을 때의 결과를 옳게 설명한 사람의 이름을 써 봅시다.

- 민하: 따뜻한 느낌이 들어.
- 송화: 심벌즈의 떨림이 느껴져.
- 준완: 소리가 나지 않는 심벌즈와 같이 떨림이 없어.

( )

소리가 나는 물체의 소리를 멈추게 하는 방법

6 물체에서 더 이상 소리가 나지 않는 경우를 보기 에서 골라 기호를 써 봅시다.

보기

㉠ 소리가 나는 물체를 더 세게 흔든다.
㉡ 소리가 나는 물체를 떨리지 않게 한다.
㉢ 소리가 나는 물체의 떨림을 더 크게 한다.

( )

20일차

큰 소리와 작은 소리

난타 공연에서 북을 더 세게 치면
북 위에 있는 물이 튀어 오르는
모습은 달라질까요?
북을 세게 칠 때와 약하게 칠 때
소리는 어떻게 다를까요?

탐구로 시작하기 큰 소리와 작은 소리 만들기

과정 및 결과

실험 동영상

1 작은북을 북채로 세게 칠 때와 약하게 칠 때 소리를 비교해 봅시다.

▲ 북을 세게 칠 때

▲ 북을 약하게 칠 때

구분	소리
북을 세게 칠 때	큰 소리가 납니다.
북을 약하게 칠 때	작은 소리가 납니다.

2 작은북 위에 팥을 올려놓습니다.

3 작은북을 북채로 세게 칠 때와 약하게 칠 때 팥이 튀어 오르는 모습이 어떻게 다른지 비교해 봅시다.

팥 대신 스타이로폼 공이나 좁쌀을 이용해도 좋아요.

▲ 북을 세게 칠 때

▲ 북을 약하게 칠 때

구분	소리
북을 세게 칠 때	팥이 높게 튀어 오릅니다.
북을 약하게 칠 때	팥이 낮게 튀어 오릅니다.

정리

작은북을 세게 칠 때와 약하게 칠 때 소리는 어떻게 다른가요?

➜ 작은북을 세게 치면 큰 소리가 나고, 작은북을 약하게 치면 작은 소리가 납니다.

개념 이해하기

1 큰 소리와 작은 소리의 비교

① 금속 그릇을 고무망치로 세게 칠 때와 약하게 칠 때

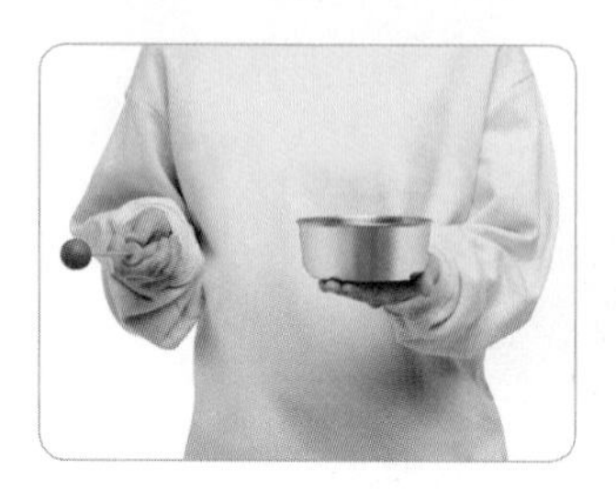

세게 칠 때 → 그릇이 크게 떨립니다. → 큰 소리가 납니다.

약하게 칠 때 → 그릇이 작게 떨립니다. → 작은 소리가 납니다.

② 우쿨렐레의 줄을 세게 퉁길 때와 약하게 퉁길 때

세게 퉁길 때 → 줄이 크게 떨립니다. → 큰 소리가 납니다.

약하게 퉁길 때 → 줄이 작게 떨립니다. → 작은 소리가 납니다.

③ 작은북을 북채로 세게 칠 때와 약하게 칠 때

구분	세게 칠 때	약하게 칠 때
떨림	북의 ⊕표면이 크게 떨립니다.	북의 표면이 작게 떨립니다.
소리	큰 소리가 납니다.	작은 소리가 납니다.
팥의 모습	팥이 높게 튀어 오릅니다.	팥이 낮게 튀어 오릅니다.

⊕ **표면** 사물의 가장 바깥쪽 또는 가장 윗부분

2 소리의 세기

① 소리의 세기: 소리의 크고 작은 정도

② 소리의 세기가 달라지는 까닭: 소리의 세기는 물체가 떨리는 정도에 따라 달라집니다.

➜ 물체를 세게 치면 물체의 표면이 크게 떨리면서 큰 소리가 나고, 물체를 약하게 치면 물체의 표면이 작게 떨리면서 작은 소리가 납니다.

줄을 세게 퉁기면 큰 소리가 나고, 약하게 퉁기면 작은 소리가 나요.

3 우리 주변의 큰 소리와 작은 소리

➕ **경보기** 갑작스러운 사고나 위험을 소리를 이용하여 알리는 장치

	야구장 응원	화재 ➕경보기	기차
큰 소리			
	야구장에서 우리 팀을 응원할 때는 큰 소리를 냅니다.	화재 경보기의 경보음은 위험을 알리기 위해 큰 소리를 냅니다.	기차가 지나갈 때 나는 소리는 큰 소리입니다.
	자장가	도서관	박물관
작은 소리			
	아기에게 자장가를 불러 줄 때는 작은 소리를 냅니다.	도서관에서 친구와 귓속말로 이야기를 할 때는 작은 소리를 냅니다.	박물관이나 미술관에서 관람을 하면서 이야기할 때는 작은 소리를 냅니다.

20 일차

핵심 개념 확인하기

정답과 해설 • 13쪽

큰 소리와 작은 소리의 비교

- 금속 그릇을 고무망치로 세게 칠 때는 ❶ ☐ 소리가 나고, 약하게 칠 때는 ❷ ☐☐ 소리가 납니다.
- 우쿨렐레의 줄을 ❸ ☐☐ 퉁길 때는 큰 소리가 나고, ❹ ☐☐☐ 퉁길 때는 작은 소리가 납니다.
- 작은북을 세게 칠 때와 약하게 칠 때

구분	세게 칠 때	약하게 칠 때
떨림	북 표면이 ❺ ☐☐ 떨립니다.	북 표면이 ❻ ☐☐ 떨립니다.
소리	큰 소리가 납니다.	작은 소리가 납니다.
팥의 모습	팥이 ❼ ☐☐ 튀어 오릅니다.	팥이 ❽ ☐☐ 튀어 오릅니다.
	북이 떨리는 크기가 달라서 팥이 튀어 오르는 모습이 다릅니다.	

소리의 ❾ ☐☐ : 소리의 크고 작은 정도

문제로 완성하기

1~2 다음은 북채로 치는 세기를 다르게 하여 작은북을 치는 모습입니다.

㉠

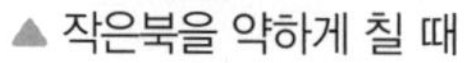
▲ 작은북을 약하게 칠 때

㉡

▲ 작은북을 세게 칠 때

큰 소리와 작은 소리의 비교

1 위 실험에서 ㉠과 ㉡의 결과로 옳은 것은 어느 것입니까? (　　　)

① ㉠은 ㉡보다 큰 소리가 난다.
② ㉡은 ㉠보다 큰 소리가 난다.
③ ㉠은 ㉡보다 북이 크게 떨린다.
④ ㉠과 ㉡은 북이 떨리는 크기가 같다.
⑤ ㉠과 ㉡은 같은 크기의 소리가 난다.

2 위 실험에서 작은북 위에 팥을 올려놓고 북채로 쳤을 때의 결과로 옳은 것은 어느 것입니까? (　　　)

	㉠	㉡
①	팥이 없어진다.	아무 변화가 없다.
②	아무 변화가 없다.	팥이 작게 부서진다.
③	팥이 하얗게 변한다.	팥이 검게 변한다.
④	팥이 낮게 튀어 오른다.	팥이 높게 튀어 오른다.
⑤	팥이 높게 튀어 오른다.	팥이 낮게 튀어 오른다.

소리의 세기

3 소리의 세기에 대한 설명으로 옳은 것은 어느 것입니까? (　　　)

① 소리의 불쾌한 정도를 말한다.
② 소리의 높고 낮은 정도를 말한다.
③ 소리의 크고 작은 정도를 말한다.
④ 소리의 굵고 얇은 정도를 말한다.
⑤ 소리의 빠르고 느린 정도를 말한다.

4 다음 ( ) 안에 알맞은 말을 써 봅시다.

물체가 떨리는 크기를 다르게 하면 소리의 ( )이/가 달라진다.

( )

5 물체의 소리가 커질 때 나타나는 현상에 대해 옳게 설명한 사람의 이름을 써 봅시다.

- 여름: 물체의 색깔이 변해.
- 가을: 물체의 떨림이 커져.
- 겨울: 물체의 움직임이 줄어들어.

( )

우리 주변의 큰 소리와 작은 소리

6 우리 주변에서 큰 소리를 내는 경우로 옳은 것을 보기 에서 골라 기호를 써 봅시다.

보기

▲ 귓속말로 이야기할 때 ▲ 야구장에서 응원할 때 ▲ 아기에게 자장가를 불러 줄 때

( )

21일차

높은 소리와 낮은 소리

탐구로 시작하기 높은 소리와 낮은 소리 만들기

활동 1 길이가 다른 플라스틱관으로 책상 두드리기

1 길이가 긴 관의 끝부분을 한 손으로 잡고 다른 한쪽 끝을 책상에 두드립니다.

2 과정 1과 같은 방법으로 길이가 긴 관부터 짧은 관까지 차례대로 소리를 내어 봅니다.

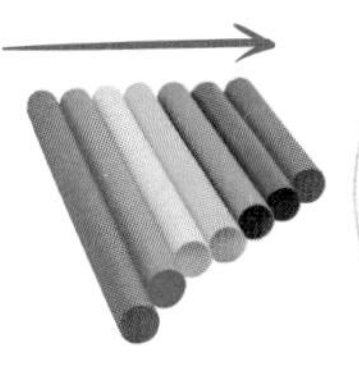

3 길이가 긴 관부터 짧은 관까지 두드린 소리를 비교해 봅니다.

플라스틱관의 길이가 길수록	플라스틱관의 길이가 짧을수록
낮은 소리가 납니다.	높은 소리가 납니다.

활동 2 길이가 다른 플라스틱 빨대 불어 보기

1 플라스틱 빨대를 4 cm, 7 cm, 10 cm 길이로 자릅니다.

2 플라스틱 빨대 뒤에 한쪽 끝을 고무 찰흙으로 막습니다.

3 플라스틱 빨대를 각각 불어 보고, 소리를 비교해 봅니다.

플라스틱 빨대를 입술 아래쪽에 살짝 대어 아래쪽으로 바람을 불고, 같은 힘으로 불어야 해요.

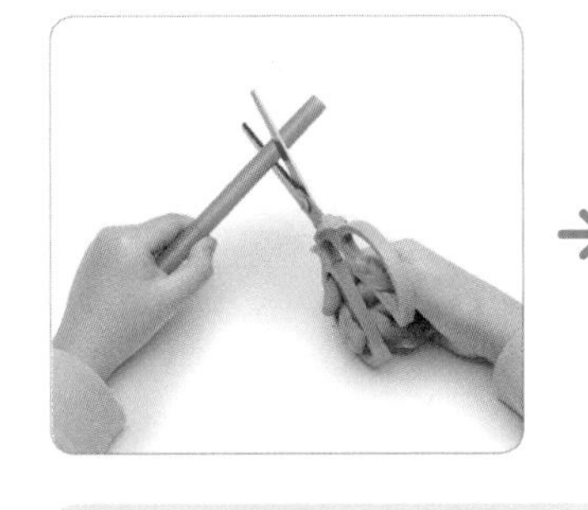

→

→

플라스틱 빨대의 길이가 길수록	플라스틱 빨대의 길이가 짧을수록
낮은 소리가 납니다.	높은 소리가 납니다.

정리

플라스틱관과 플라스틱 빨대의 길이에 따라 소리는 어떻게 다른가요?

➜ 길이가 길수록 낮은 소리가 나고, 짧을수록 높은 소리가 납니다.

21 일차 월 일 공부한 날

개념 이해하기

1 소리의 높낮이

① 소리의 높고 낮은 정도를 소리의 높낮이라고 합니다.

② 물체가 빠르게 떨리면 높은 소리가 나고, 물체가 느리게 떨리면 낮은 소리가 납니다.

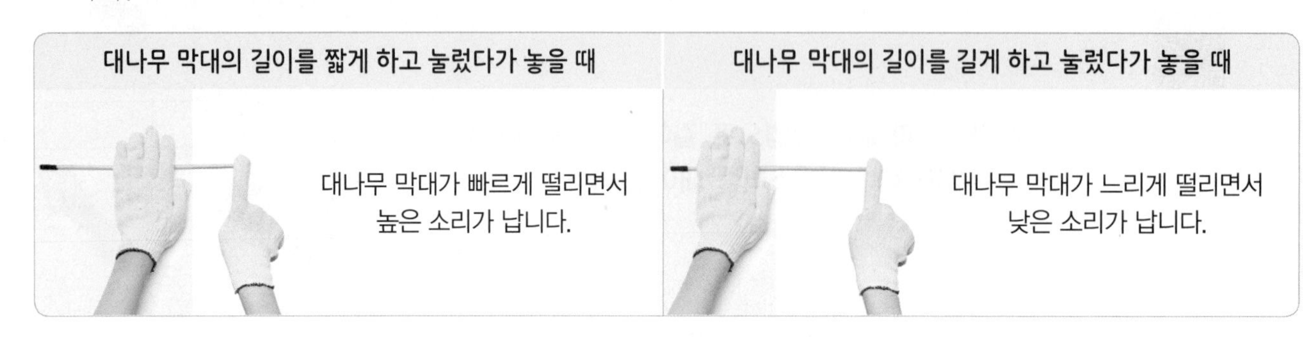

악기는 소리의 높낮이와 소리의 세기를 이용해 아름다운 음악을 연주하도록 만들어진 도구입니다.

2 악기를 이용해 소리의 높낮이 비교하기

① 실로폰의 길이가 짧은 음판부터 긴 음판까지 차례대로 치면서 소리의 높낮이 비교하기

음판 떨어서 소리를 내는 쇠붙이나 나무들의 조각

음판의 길이가 짧을 때: 높은 소리가 납니다.

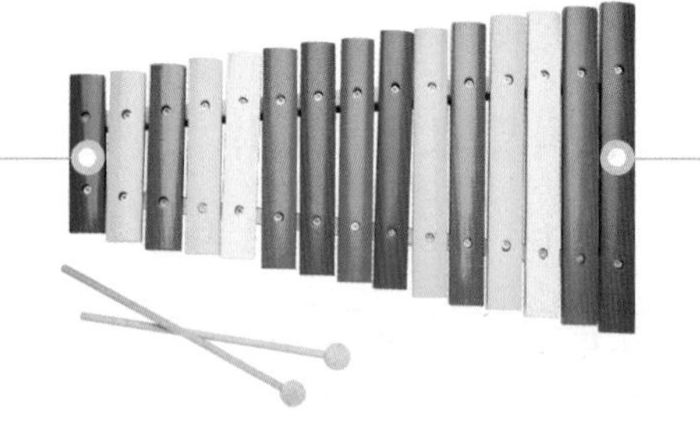

음판의 길이가 길 때: 낮은 소리가 납니다.

② 팬 플루트의 길이가 짧은 관부터 긴 관까지 차례대로 불면서 소리의 높낮이 비교하기

관의 길이가 짧을 때: 높은 소리가 납니다.

관의 길이가 길 때: 낮은 소리가 납니다.

③ 우쿨렐레의 줄을 같은 세기로 퉁기면서 손가락으로 누르는 곳을 다르게 할 때 소리의 높낮이 비교하기

누르는 곳이 가까울 때: 높은 소리가 납니다.

누르는 곳이 멀 때: 낮은 소리가 납니다.

➜ 음판이나 관, 줄의 길이가 길수록 낮은 소리가 나고, 짧을수록 높은 소리가 납니다.

3 우리 주변의 높은 소리와 낮은 소리

① 높은 소리와 낮은 소리의 이용

일상생활에서 긴급한 상황이 생겼을 때 큰 소리와 함께 높은 소리를 이용해 위험을 알리기도 해요.

화재 경보기

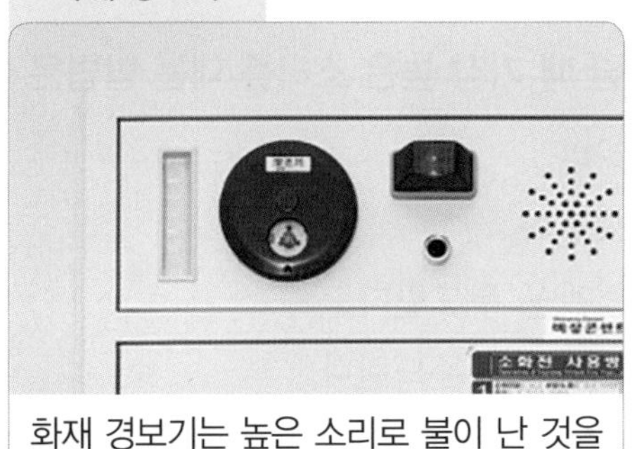

화재 경보기는 높은 소리로 불이 난 것을 알립니다.

뱃고동

뱃고동은 낮은 소리로 먼 곳까지 신호를 보냅니다.

② 높낮이가 다른 소리의 이용: 소리의 높낮이를 이용하면 다양한 음악을 만들 수 있습니다.

관현악 연주

여러 종류의 악기를 이용해 높은 소리와 낮은 소리를 내면서 음악을 연주합니다.

합창단

여러 사람이 높은 소리와 낮은 소리를 내면서 ⊕화음을 만들고 합창을 합니다.

⊕ **화음** 높이가 다른 둘 이상의 음이 함께 울릴 때 어울리는 소리

21 일차

핵심 개념 확인하기

정답과 해설 ● 14쪽

✔ **소리의** ❶ ☐☐☐: 소리의 높고 낮은 정도

✔ **악기를 이용해 소리의 높낮이 비교하기**

실로폰의 음판 치기	음판의 길이가 짧을 때	❷ ☐☐ 소리가 납니다.
	음판의 길이가 길 때	❸ ☐☐ 소리가 납니다.
팬 플루트의 관 불기	관의 길이가 ❹ ☐☐ 때	높은 소리가 납니다.
	관의 길이가 ❺ ☐ 때	낮은 소리가 납니다.
우쿨렐레의 줄 튕기기	누르는 곳이 가까울 때	❻ ☐☐ 소리가 납니다.
	누르는 곳이 멀 때	❼ ☐☐ 소리가 납니다.

문제로 완성하기

소리의 높낮이

1 **플라스틱관을 두드릴 때 가장 높은 소리를 내는 방법은 어느 것입니까?** (   )

① 센 힘으로 두드린다.
② 약한 힘으로 두드린다.
③ 가장 긴 플라스틱관을 두드린다.
④ 가장 짧은 플라스틱관을 두드린다.
⑤ 플라스틱관의 양쪽 구멍을 모두 막은 상태로 두드린다.

2 **소리의 높낮이에 대한 설명으로 옳지 않은 것은 어느 것입니까?** (   )

① 소리의 높고 낮은 정도이다.
② 리코더는 소리의 높낮이를 이용해 연주한다.
③ 실로폰은 음판의 길이에 따라 소리의 높낮이가 다르다.
④ 플라스틱관을 두드릴 때 관이 짧을수록 높은 소리가 난다.
⑤ 플라스틱 빨대를 불 때 빨대를 부는 세기에 따라 소리의 높낮이가 다르다.

악기를 이용해 소리의 높낮이 비교하기

3 **다음 팬 플루트를 불었을 때 가장 낮은 소리가 나는 관을 골라 기호를 써 봅시다.**

(   )

4 다음 실로폰을 쳤을 때 (가)보다 높은 소리를 내는 음판을 두 가지 골라 기호를 써 봅시다.

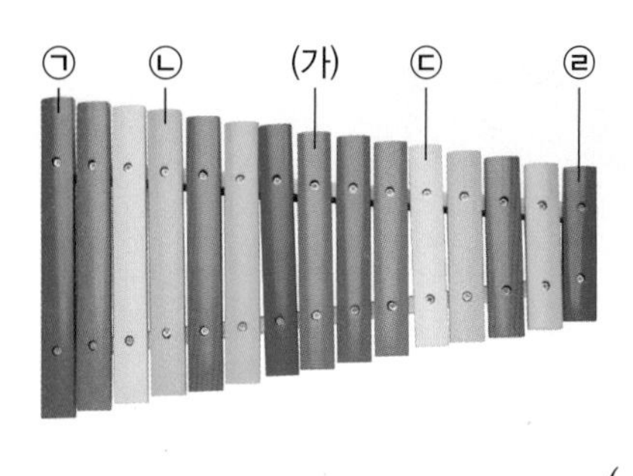

(　　　　　　　　　　)

우리 주변의 높은 소리와 낮은 소리

5 다음은 관현악단이 연주하는 모습입니다. (　　) 안에 알맞은 말을 써 봅시다.

▲ 관현악단이 연주하는 모습

관현악단은 소리의 (　　)이/가 다른 다양한 악기를 이용해 음악을 연주한다.

(　　　　　　　　　　)

6 우리 주변의 악기에 대한 설명으로 옳지 않은 것은 어느 것입니까? (　　　)

① 트라이앵글은 같은 높이의 음을 낸다.
② 북은 소리의 높낮이를 다르게 하여 연주할 수 있다.
③ 팬 플루트는 관의 길이에 따라 다른 높이의 음을 낸다.
④ 하프는 길이가 다른 줄을 퉁기면 높낮이가 다른 소리를 낸다.
⑤ 피아노는 소리의 높낮이와 소리의 세기를 다르게 하여 연주할 수 있다.

22일차

소리의 전달

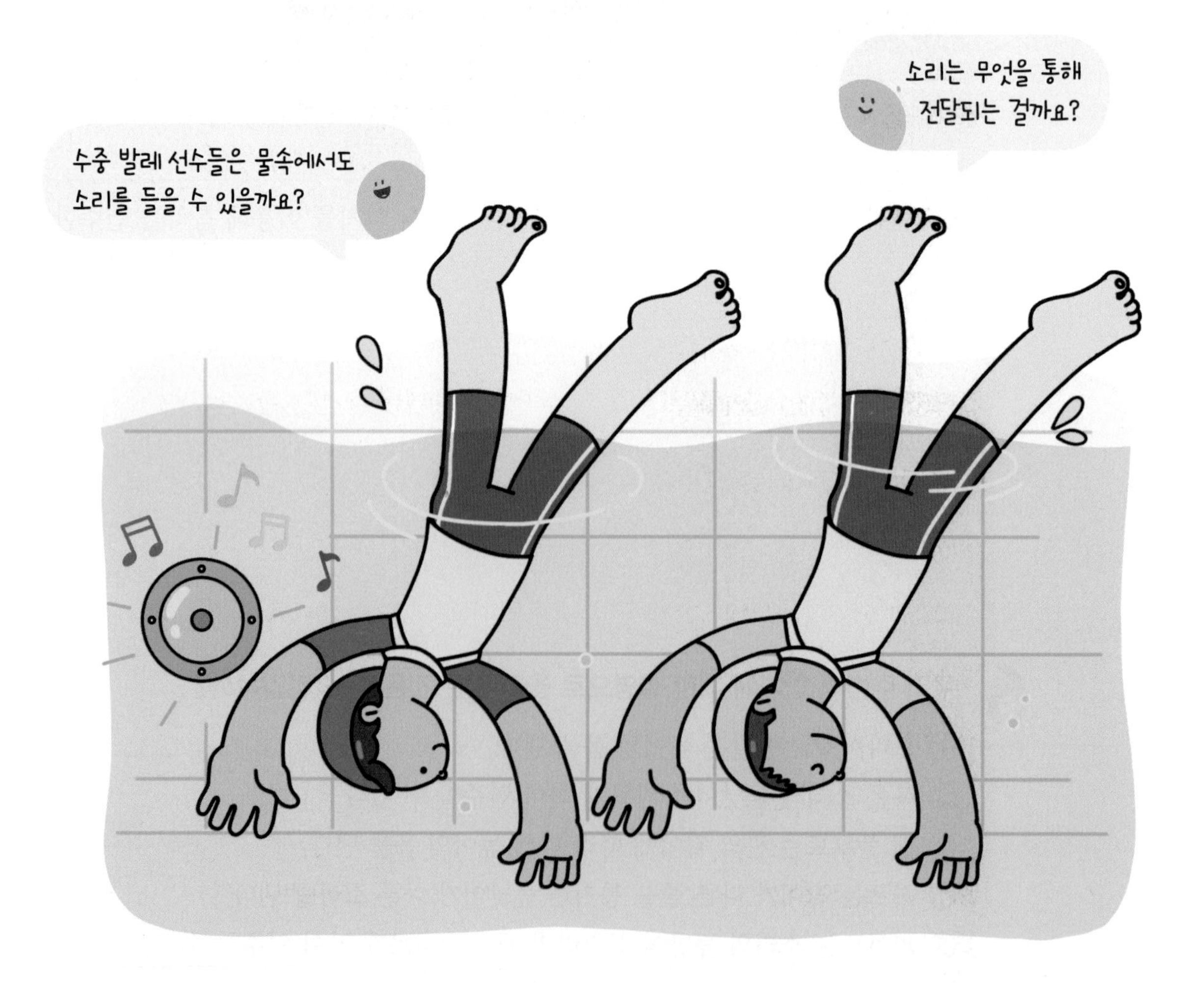

탐구로 시작하기 여러 가지 물질을 통해 소리 전달하기

활동 1 공기를 통해 소리 전달하기

1 공기를 뺄 수 있는 장치 안에 ⁺탈지면을 깐 뒤 스피커를 넣고 뚜껑을 닫습니다.

⊕ **탈지면** 불순물이나 지방 따위를 제거하고 소독한 솜

2 손잡이를 당겨 공기를 빼고 스마트 기기로 스피커에서 소리가 나게 한 뒤 소리를 들어 봅니다.

3 뚜껑의 가운데 부분을 열어 공기를 채우면서 소리를 들어 봅시다.

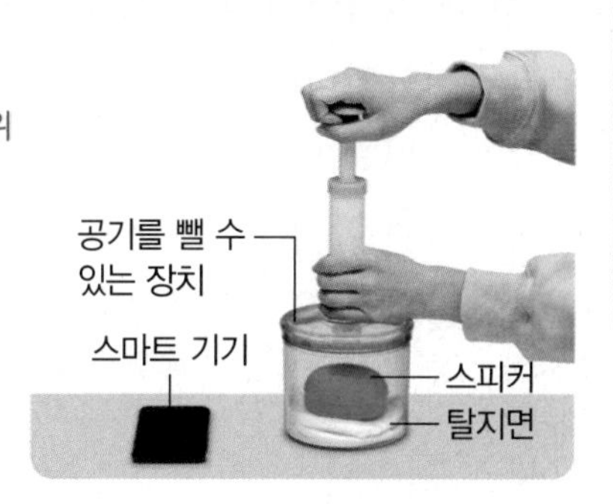

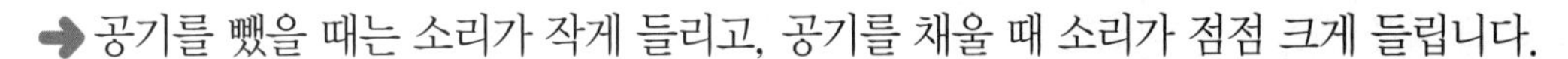

➔ 공기를 뺐을 때는 소리가 작게 들리고, 공기를 채울 때 소리가 점점 크게 들립니다.

활동 2 실을 통해 소리 전달하기

1 두 개의 종이컵 바닥에 누름 못으로 구멍을 뚫습니다.

2 구멍에 실을 넣고 클립을 묶어 고정합니다.

3 다른 종이컵의 구멍에 실의 반대쪽 끝을 넣고 클립을 묶습니다.

클립

실

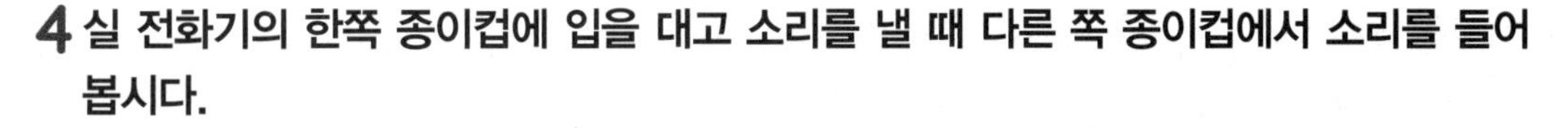

4 실 전화기의 한쪽 종이컵에 입을 대고 소리를 낼 때 다른 쪽 종이컵에서 소리를 들어 봅시다.

➔ 실 전화기를 통해 다른 쪽 종이컵에서 소리가 잘 들립니다.

활동 3 물을 통해 소리 전달하기

1 물이 담긴 수조에 스피커를 넣습니다.

2 물속의 스피커에서 소리가 날 때 물 밖에서도 들리는지 확인해 봅시다.

➔ 물속에서 나는 스피커의 소리가 물 밖에서도 들립니다.

정리

소리는 무엇을 통해 전달되었나요?

➔ 활동 1에서는 공기, 활동 2에서는 실, 활동 3에서는 물을 통해 소리가 전달되었습니다.

개념 이해하기

1 기체를 통한 소리의 전달

① 우리가 듣는 대부분의 소리는 기체인 공기를 통해 전달됩니다.

② 소리가 나는 물체가 떨리면서 주변의 공기를 떨게 하면 그 떨림이 우리에게 전달됩니다.

③ 달과 같은 우주에서는 공기가 없어 소리가 전달되지 않습니다. → 달에서는 전파와 같이 소리를 전달해 주는 물질이 없어도 소리를 전달할 수 있는 방법을 이용합니다.

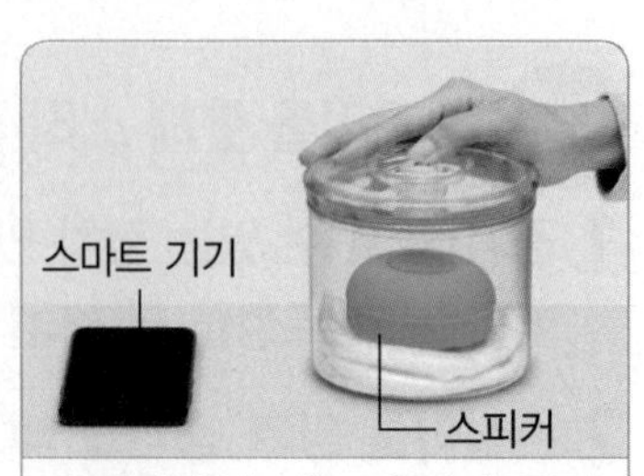

스피커에서 나는 소리가 공기를 통해 전달되어 소리가 들립니다.

2 고체를 통한 소리의 전달

소리는 실이나 나무와 같은 고체를 통해서도 전달됩니다.

실 전화기로 소리 전달하기	책상 두드리는 소리 듣기
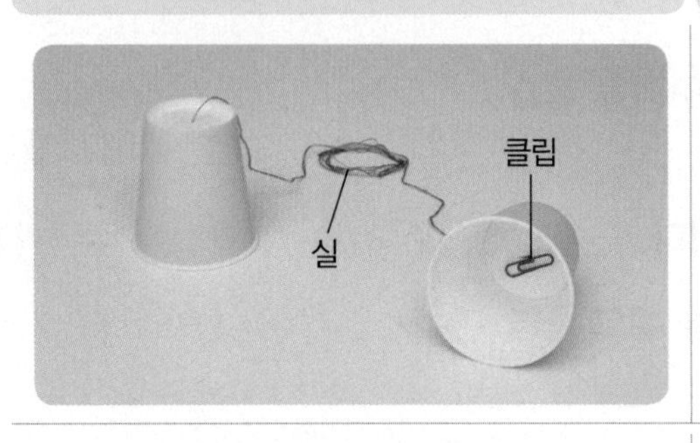	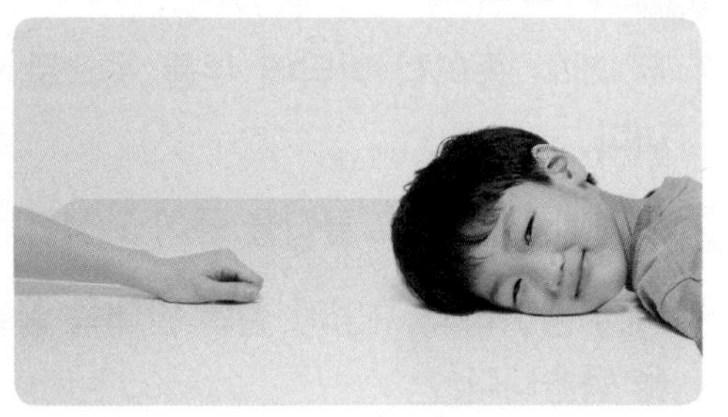
실 전화기는 실의 떨림으로 소리가 전달됩니다. → 실을 느슨하게 하면 실이 잘 떨리지 않아 소리가 잘 들리지 않습니다.	책상을 두드리는 소리가 책상을 통해 전달되어 소리가 들립니다.

실로 연결된 숟가락 두드리는 소리 듣기

❶ 귀마개로 귀를 막고, 숟가락에 연결한 실을 귀에 겁니다.

→

❷ 다른 사람이 젓가락으로 숟가락을 두드릴 때 소리가 들리는지 확인해 봅시다.

→

[결과]
실을 통해 숟가락을 두드리는 소리가 잘 들립니다.
→ 고체인 실을 통해 소리가 전달됩니다.

3 액체를 통한 소리의 전달

소리는 물과 같은 액체를 통해서도 전달됩니다.

물속의 스피커에서 나는 소리가 물을 통해 전달되어 소리가 들립니다.

4 여러 가지 물질을 통한 소리의 전달

소리는 기체, 액체, 고체 상태의 물질을 통해 전달됩니다.

구분	그림	설명
기체를 통한 전달		교실에서 선생님의 말소리를 들을 수 있습니다. ➔ 소리가 공기를 통해 전달되기 때문입니다.
고체를 통한 전달		몸에 귀를 대거나 청진기를 사용하면 몸속에서 나는 소리를 들을 수 있습니다. ➔ 소리가 몸과 청진기를 통해 전달되기 때문입니다.
액체를 통한 전달		물속에 있는 잠수부들은 멀리서 오는 배의 소리를 잘 들을 수 있습니다. ➔ 소리가 물을 통해 전달되기 때문입니다.

수중 발레 선수들은 물속의 스피커에서 나오는 음악 소리를 들으며 동작을 합니다.

핵심 개념 확인하기

정답과 해설 • 14쪽

기체를 통한 소리의 전달

- 우리가 듣는 대부분의 소리는 ① □□인 공기를 통해 전달됩니다.
- 달과 같은 우주에는 ② □□가 없어 소리가 전달되지 않습니다.

고체를 통한 소리의 전달: 소리는 실과 같은 ③ □□를 통해서도 전달됩니다.

액체를 통한 소리의 전달: 소리는 물과 같은 ④ □□를 통해서도 전달됩니다.

여러 가지 물질을 통한 소리의 전달

전달	예
⑤ □□를 통한 전달	교실에서 선생님의 말소리를 들을 수 있습니다.
⑥ □□를 통한 전달	청진기로 몸속에서 나는 소리를 들을 수 있습니다.
⑦ □□를 통한 전달	물속에 있는 잠수부들이 멀리서 오는 배 소리를 들을 수 있습니다.

문제로 완성하기

기체를 통한 소리의 전달

1 **오른쪽과 같이 공기를 뺄 수 있는 장치 안에 소리가 나는 스피커를 넣었습니다. 스피커의 소리를 작아지게 하는 방법으로 옳은 것을 보기 에서 골라 기호를 써 봅시다.**

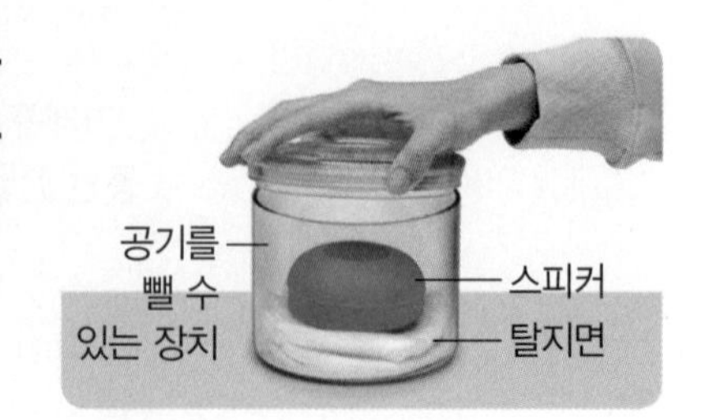

보기
㉠ 통을 세게 흔든다.
㉡ 통 안의 공기를 뺀다.
㉢ 통 안에 공기를 더 넣는다.

(　　　　　　　　　　)

고체를 통한 소리의 전달

2 **오른쪽과 같이 귀마개로 귀를 막고 숟가락에 연결한 실을 귀에 걸어 젓가락으로 숟가락을 두드렸습니다. 이때의 결과로 옳은 것은 어느 것입니까?** (　　　)

① 소리가 매우 작게 들립니다.
② 아무 소리도 들리지 않습니다.
③ 소리는 공기를 통해서만 들을 수 있습니다.
④ 실을 통해 숟가락이 울리는 소리가 잘 들립니다.
⑤ 소리가 액체를 통해 전달된다는 것을 확인할 수 있습니다.

3 **다음은 종이컵을 이용해 만든 실 전화기입니다. (　　) 안에 알맞은 말을 써 봅시다.**

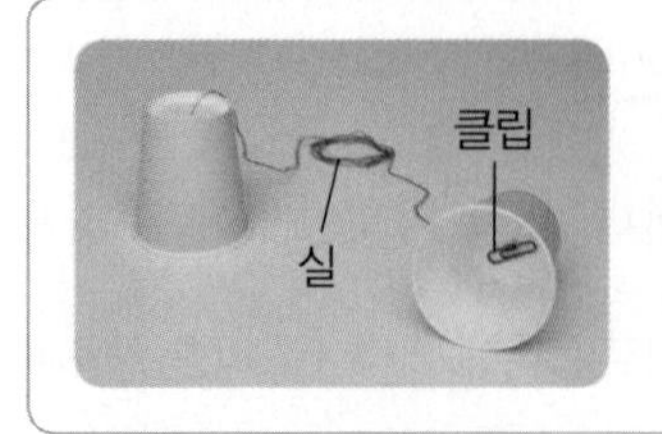

실 전화기의 한쪽 종이컵에 입을 대고 소리를 내면 실의 (　　　)(으)로 소리가 전달되어 다른 쪽 종이컵에서 소리를 들을 수 있다.

(　　　　　　　　　　)

액체를 통한 소리의 전달

4 **오른쪽과 같이 물이 담긴 수조에 스피커를 넣은 뒤 스피커에서 소리가 나게 했습니다. 실험에 대해 옳게 말한 사람의 이름을 써 봅시다.**

- 은진: 물 밖에서도 소리를 들을 수 있어.
- 경호: 소리는 액체를 통해서는 전달되지 않아.
- 정석: 실험을 통해 소리는 공기를 통해서만 전달된다는 것을 알 수 있어.

( )

여러 가지 물질을 통한 소리의 전달

5 **소리의 전달에 대한 설명으로 옳지 않은 것을 보기 에서 골라 기호를 써 봅시다.**

보기
㉠ 소리는 나무나 실을 통해서도 전달된다.
㉡ 우리가 듣는 대부분의 소리는 공기를 통해 전달된다.
㉢ 멀리서 친구가 부르는 소리가 잘 들리지 않는 것은 소리가 기체를 통해서는 전달되지 않기 때문이다.

( )

6 **액체를 통해 소리가 전달되는 경우는 어느 것입니까?** ( )

① 교실에서 선생님의 말소리를 들을 때
② 스피커에서 나는 노래 소리를 들을 때
③ 청진기를 이용하여 몸속에서 나는 소리를 들을 때
④ 책상에 귀를 대고 책상을 두드리는 소리를 들을 때
⑤ 물속에 있는 잠수부가 멀리서 오는 배의 소리를 들을 때

22 일차

물체에 부딪쳐 되돌아오는 소리

소리가 나아가다가 물체에 부딪치면 어떻게 될까요?

산에서 큰 소리를 낼 때 메아리는 왜 생기는 걸까요?

야호~!

야호~!

탐구로 시작하기 소리가 물체에 부딪쳤을 때 나타나는 현상 관찰하기

1 스피커를 플라스틱 통에 넣습니다.

2 스마트 기기로 스피커에서 소리가 나게 한 뒤 소리를 듣습니다.

3 플라스틱 통의 위쪽에서 나무판을 비스듬히 들고 나무판이 기울어진 쪽으로 소리를 듣습니다.

4 나무판이 없을 때와 나무판을 비스듬히 들고 소리를 들을 때 소리의 세기를 비교해 봅시다.

실험하는 동안 스피커에서 나오는 소리의 크기는 일정하게 해요.

구분	소리의 세기
나무판이 없을 때	나무판이 있을 때보다 소리가 작게 들립니다.
나무판을 비스듬히 들 때	나무판이 없을 때보다 소리가 크게 들립니다.

5 나무판을 스타이로폼판으로 바꿔 비스듬히 들고 소리를 듣습니다.

6 나무판을 들 때와 스타이로폼판을 들 때 들리는 소리의 세기를 비교해 봅시다.

소리를 들을 때 플라스틱 통과 귀의 위치는 판이 없을 때와 같은 위치여야 해요.

구분	소리의 세기
나무판을 비스듬히 들 때	스타이로폼판을 들 때보다 소리가 크게 들립니다.
스타이로폼판을 비스듬히 들 때	나무판을 들 때보다 소리가 작게 들립니다.

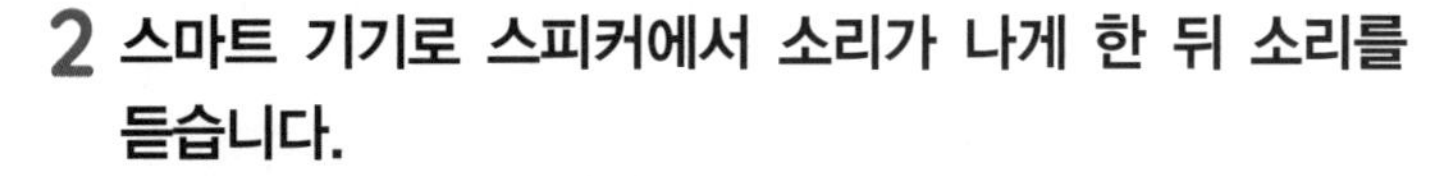

정리

- **나무판이 없을 때와 있을 때 플라스틱 통에서 들리는 소리의 세기가 다른 까닭은 무엇일까요?**

➔ 나무판이 있을 때 소리가 더 크게 들리는 까닭은 소리가 위쪽 방향으로 나아가다가 나무판에 부딪쳐 내 귀 쪽으로 오기 때문입니다.

- **나무판을 들 때와 스타이로폼판을 들 때 플라스틱 통에서 들리는 소리의 세기가 다른 까닭은 무엇일까요?**

➔ 소리가 부딪치는 물체의 종류에 따라 되돌아오는 정도가 다르기 때문입니다.

개념 이해하기

1 소리의 반사

소리가 나아가다가 물체에 부딪쳐 되돌아오는 성질입니다.

체육관에서 소리를 지를 때	운동장에서 소리를 지를 때

소리가 다시 들립니다. ➜ 소리가 체육관의 벽에 부딪쳐 되돌아오기 때문입니다.	소리가 다시 들리지 않습니다. ➜ 소리가 앞으로 퍼져 나갔고 되돌아오지 않기 때문입니다.

소리가 부드러운 물체에 부딪치면 흡수되어서 잘 반사되지 않아요.

- 소리의 반사 정도: 나무나 벽처럼 딱딱한 물체에서는 소리의 반사가 잘 일어나지만, 스타이로폼이나 스펀지처럼 부드러운 물체에서는 소리의 반사가 잘 일어나지 않습니다.

2 부딪치는 물체에 따른 소리의 반사 정도 비교하기

두 개의 종이관을 직각이 되게 놓고 한쪽 종이관에 작은 소리가 나는 이어폰을 넣습니다. ➜ 이어폰을 넣지 않은 다른 쪽 종이관 끝에 귀를 대고 소리를 들어 봅시다. ➜ 두 종이관이 직각으로 만나는 곳에 나무판자와 스펀지를 세우고 소리를 들어 봅시다.

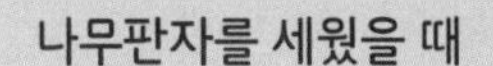

아무것도 세우지 않았을 때	나무판자를 세웠을 때	스펀지를 세웠을 때
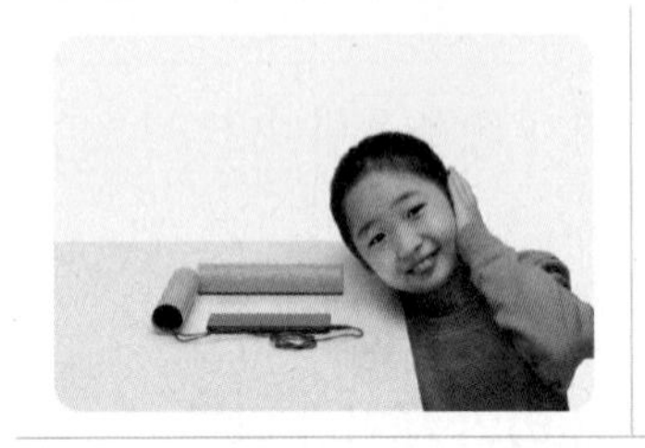		
소리가 가장 작게 들립니다.	소리가 가장 크게 들립니다.	나무판자를 세웠을 때보다 소리가 작게 들립니다.

① 소리의 크기 비교: 나무판자를 세웠을 때 > 스펀지를 세웠을 때 > 아무것도 세우지 않았을 때

② 소리의 크기가 차이나는 까닭: 소리는 나무판자와 같이 딱딱한 물체에는 잘 반사되지만, 스펀지처럼 부드러운 물체에는 잘 반사되지 않기 때문입니다.

➜ 소리는 부딪치는 물체에 따라 반사되는 정도가 다릅니다.

3 우리 생활에서 소리가 반사되는 경우

동굴		동굴에서 이야기를 하면 소리가 동굴 벽에 부딪쳐서 되돌아오기 때문에 소리가 울립니다.
산		산에서 울리는 ⊕메아리는 소리가 나아가다가 산에 부딪쳐 되돌아오기 때문에 생깁니다. ⊕ **메아리** 울려 퍼져 가던 소리가 산이나 절벽 같은 데에 부딪쳐 되울려오는 소리
목욕탕		목욕탕에서 소리를 내면 소리가 목욕탕의 벽에 부딪쳐서 반사되어 울립니다.
음악당		⊕음악당에서는 천장과 벽면에 반사판을 설치하여 관객이 소리를 잘 들을 수 있도록 합니다. → 소리를 골고루 전달하여 모든 좌석에 소리가 잘 들리게 합니다.

⊕ **음악당** 음악을 연주하고 청중이 그것을 감상할 수 있도록 특별히 지은 건물

음악당에 반사판을 설치하는 것처럼 소리의 반사는 생활 속에서 이용됩니다.

핵심 개념 확인하기

정답과 해설 ● 14쪽

✔ **소리의** ❶ ☐☐ : 소리가 나아가다가 물체에 부딪쳐 되돌아오는 성질입니다.

• 소리의 반사는 ❷ ☐☐☐ 물체에서는 잘 일어나지만 ❸ ☐☐☐☐ 물체에서는 잘 일어나지 않습니다.

✔ **부딪치는 물체에 따라 들리는 소리의 세기를 >, =, <로 비교하기**

나무판자를 세웠을 때 ❹ ☐ 스펀지를 세웠을 때 ❺ ☐ 아무것도 세우지 않았을 때

✔ **우리 생활에서 소리가 반사되는 경우**

동굴	동굴에서는 소리가 동굴 벽에 부딪쳐 ❻ ☐☐☐☐☐ 때문에 소리가 울립니다.
산	메아리는 소리가 나아가다가 산에 부딪쳐 되돌아오기 때문에 생깁니다.
목욕탕	목욕탕에서 소리를 내면 소리가 목욕탕의 벽에 부딪쳐 ❼ ☐☐ 되어 울립니다.
음악당	천장과 벽면에 ❽ ☐☐☐ 을 설치하여 관객이 소리를 잘 들을 수 있도록 합니다.

문제로 완성하기

1~3 **다음은 소리가 나는 스피커를 플라스틱 통 속에 넣고 아무것도 들지 않거나 나무판을 비스듬히 들고 소리를 듣는 모습입니다.**

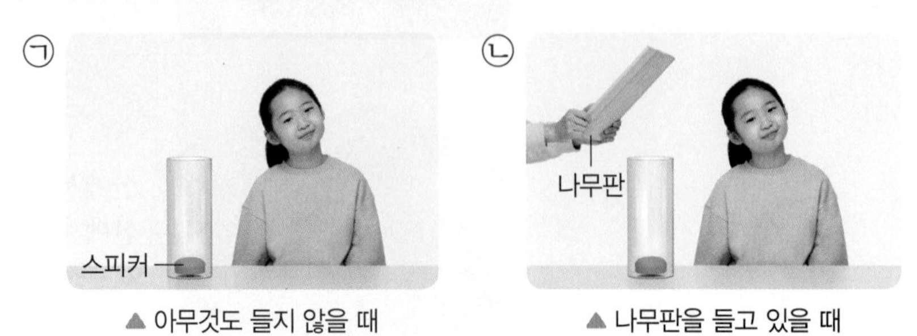

▲ 아무것도 들지 않을 때 ▲ 나무판을 들고 있을 때

▶ 소리가 물체에 부딪쳤을 때 나타나는 현상 관찰하기

1
들리는 소리의 세기를 비교하여 ○ 안에 >, =, <를 써 넣어 봅시다.

㉠ ○ ㉡

2
위 실험에서 나무판의 역할로 옳은 것은 어느 것입니까? (　　)

① 공기를 이동시킨다.
② 소리를 반사시킨다.
③ 소리의 높낮이를 조절한다.
④ 공기의 온도를 변화시킨다.
⑤ 소리의 떨림을 더 크게 한다.

3
㉡에서 나무판 대신 스타이로폼판을 들 때 관찰할 수 있는 현상을 옳게 말한 사람의 이름을 써 봅시다.

- 소영: 나무판을 들 때보다 큰 소리가 들려.
- 성진: 아무것도 들지 않을 때보다 큰 소리가 들려.
- 새미: 아무것도 들지 않을 때보다 작은 소리가 들려.

(　　　　)

소리의 반사

4 다음 ( ) 안에 공통으로 알맞은 말을 써 봅시다.

- 소리가 물체에 부딪쳐 되돌아오는 성질을 소리의 ( )(이)라고 한다.
- 소리가 나아가다가 부드러운 물체에 부딪치면 소리가 흡수되어 잘 ( )되지 않는다.

( )

부딪치는 물체에 따른 소리의 반사 정도 비교하기

5 소리의 반사에 대한 설명으로 옳은 것을 보기 에서 골라 기호를 써 봅시다.

보기

㉠ 음악당은 반사판을 이용하여 소리를 골고루 전달한다.
㉡ 물체의 종류가 다르더라도 소리를 반사하는 정도는 모두 같다.
㉢ 소리는 딱딱한 물체에서보다 부드러운 물체에서 더 잘 반사된다.

( )

우리 생활에서 소리가 반사되는 경우

6 오른쪽과 같이 산에서 큰 소리를 내면 잠시 뒤 메아리가 들리는 까닭으로 옳은 것은 어느 것입니까? ( )

① 소리가 사방으로 퍼지기 때문이다.
② 소리가 물체에 부딪쳐 되돌아오기 때문이다.
③ 소리가 한 방향으로 계속 나아가기 때문이다.
④ 소리가 햇빛을 통해 멀리까지 전달되기 때문이다.
⑤ 소리가 높은 곳에서 낮은 곳으로 퍼져 나아가기 때문이다.

24일차

소음을 줄이는 방법

탐구로 시작하기 생활에서 소음을 줄이는 방법 알아보기

과정 및 결과

1 다음 그림의 장소에서 어떤 소음이 생길 수 있는지 이야기해 봅시다.

공사장	땅을 파는 기계나 장비들의 소리, 공사용 차량의 소리가 납니다.
집	아이들이 뛰는 소리, 공 굴리는 소리 등이 납니다.
도로	자동차 경적 소리, 과속을 하거나 급정거를 할 때 시끄러운 소리가 납니다.
음악실	드럼, 기타, 피아노 등 악기 소리가 시끄럽게 납니다.

2 과정 1의 그림에서 한 장소를 골라 소리의 성질을 이용하여 소음을 줄이는 방법을 이야기해 봅시다.

장소	공사장
방법	• 공사 현장 주변에 소리를 반사할 수 있는 ⊕방음벽을 만듭니다. • ⊕굴착기와 같은 기계 주변에 소리가 잘 전달되지 않도록 하는 에어 방음벽을 설치합니다.

⊕ **방음벽** 한쪽의 소리가 다른 쪽으로 새어 나가거나 새어 들어오는 것을 막기 위하여 설치한 벽
⊕ **굴착기** 땅을 파거나 깎을 때 사용되는 건설 기계

정리

소음을 줄일 수 있는 방법은 어떤 것이 있을까요?

➔ 소리를 반사할 수 있는 방음벽을 설치합니다.

➔ 에어 방음벽처럼 소리가 잘 전달되지 않는 물질을 사용합니다.

개념 이해하기

1 소음

사람이 들었을 때 기분이 좋지 않거나 건강을 해칠 수 있는 시끄러운 소리입니다.

2 소음이 발생하는 장소와 소음을 줄이는 방법

장소	발생하는 소음	소음을 줄이는 방법
집(주택)	❶ 의자 끄는 소리 ❷ 사람이 걷거나 뛰어서 발생하는 층간 소음 ❸ 시끄러운 음악 소리 ❹ 텔레비전 소리 ❺ 세탁기 소리	❶ 의자 다리에 소음 방지 덮개를 씌워 소리가 잘 전달되지 않도록 합니다. ❷ 소음 방지 매트를 깔아 소리가 잘 전달되지 않게 합니다. 실내화를 신습니다. ❸ 이중창을 설치하여 소리가 잘 전달되지 않도록 합니다. ❹ 텔레비전 소리를 줄입니다. ❺ 세탁실 벽면에 소리를 잘 전달하지 않는 물질을 붙입니다.
공사장	❶ 땅을 뚫는 소리 ❷ 공사하는 기계 소리 ❸ 확성기 소리	❶ 공사 현장 주변에 소리를 반사할 수 있는 방음벽을 설치하여 소음이 방음벽 밖으로 나오지 않게 합니다. ❷ 소리를 잘 흡수하는 물질로 주변을 막아 소리의 전달을 막습니다. ❸ 확성기 소리의 세기를 줄입니다.
도로	❶ 자동차 경적 소리 ❷ 자동차가 달리는 소리 ❸ 가게의 스피커 소리	❶ 함부로 경적 소리를 내지 않습니다. 경적 소리를 줄입니다. 방음벽을 설치해 소음을 도로 쪽으로 반사시킵니다. ❷ 과속 방지 턱을 설치하여 자동차가 느리게 달리도록 합니다. ❸ 스피커 소리를 작게 합니다.
음악실	드럼, 기타, 피아노 등 악기 소리	• 소리가 잘 전달되지 않는 물질을 벽에 붙입니다. • 악기에 소리를 줄일 수 있는 장치를 답니다.

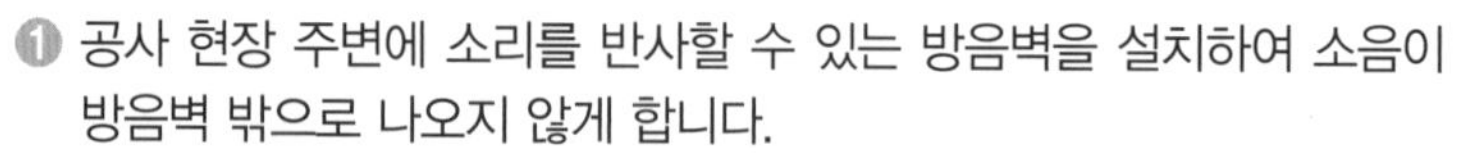
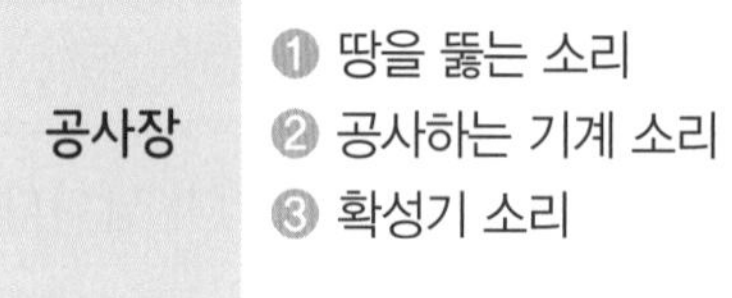
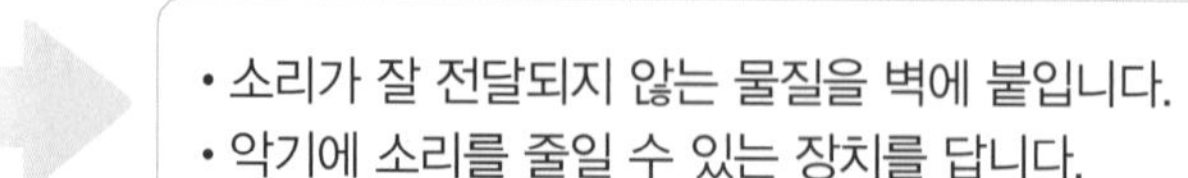

▲ 소음 방지 덮개

▲ 이중창

▲ 공사장 방음벽

▲ 과속 방지 턱

3 소리의 성질과 소음을 줄이는 방법

소리의 세기 줄이기, 소리가 잘 전달되지 않는 물질 사용하기, 소리가 반사되는 성질 이용하기 등을 통해 소음을 줄일 수 있습니다.

소리의 세기 줄이기	• 악기에 소리를 줄일 수 있는 장치를 답니다. • 도로에서 함부로 경적 소리를 내지 않습니다. • TV나 음악 소리를 너무 크게 하지 않습니다. • 주택가 도로에서 과속이나 급정거를 하지 않습니다. • 집 안에서 뛰어다니거나 공을 가지고 놀지 않습니다. • 공사장 벽 바깥쪽에 소음 정도를 표시하는 알림판을 만듭니다.
소리가 잘 전달되지 않는 물질 사용하기	• 스펀지와 같은 재료를 벽에 붙입니다. • 소음 방지 매트를 바닥에 깔고 생활합니다. • 굴착기와 같은 기계 주변에 에어 방음벽을 설치합니다.
소리가 반사되는 성질 이용하기	• 공사 현장 주변에 소리를 반사할 수 있는 방음벽을 설치합니다. • 도로변에 주택가로 나가는 소리를 반사하는 방음벽을 설치합니다.

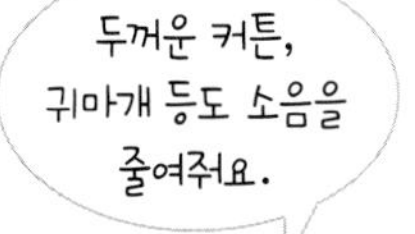

▲ 약음기를 끼운 바이올린

▲ 음악실 방음벽

▲ 도로 방음벽

핵심 개념 확인하기

정답과 해설 • 15쪽

✔ ❶ □□: 사람이 들었을 때 기분이 좋지 않거나 건강을 해칠 수 있는 시끄러운 소리입니다.

✔ **소음이 발생하는 장소와 소음을 줄이는 방법**

장소	소음을 줄이는 방법
집	• 집 안에서 뛰어다니거나 공을 가지고 놀지 않습니다. • 소리가 전달되지 않도록 ❷ □□□□ 매트를 바닥에 깔고 생활합니다.
공사장	• 굴착기와 같은 기계 주변에 에어 방음벽을 설치합니다. • 공사 현장 주변에 소리를 반사할 수 있는 ❸ □□□을 만듭니다.
도로	• 도로에서 함부로 경적 소리를 내지 않습니다. • 도로변에 주택가로 나가는 소리를 ❹ □□하는 방음벽을 설치합니다.
음악실	• 악기에 소리를 줄일 수 있는 장치를 답니다. • 스펀지와 같이 소리의 ❺ □□을 줄이는 물질을 벽에 붙입니다.

✔ **소리의 성질과 소음을 줄이는 방법**: 소리의 ❻ □□를 줄입니다. 소리가 잘 ❼ □□ 되지 않도록 합니다. 소리가 반사하는 성질을 이용합니다.

문제로 완성하기

소음

1 **다음 (　　) 안에 알맞은 말을 써 봅시다.**

사람이 들었을 때 기분이 좋지 않거나 건강을 해칠 수 있는 시끄러운 소리를 (　　)(이)라고 한다.

(　　　　　　　　)

2 **소음으로 보기 <u>어려운</u> 것은 어느 것입니까?** (　　　)

① 아이들이 장난치는 소리
② 공연장에서 부르는 노래 소리
③ 공사장에서 나는 확성기 소리
④ 윗집에서 크게 틀어 놓은 음악 소리
⑤ 도로에서 자동차가 빨리 달리는 소리

소음이 발생하는 장소와 소음을 줄이는 방법

3 **오른쪽과 같은 공사장에서 발생하는 소음이 <u>아닌</u> 것은 어느 것입니까?** (　　　)

① 굴착기 소리
② 건설 기계소리
③ 공사용 차량의 소리
④ 기계로 땅을 뚫는 소리
⑤ 피아노로 조용한 곡을 연주하는 소리

소리의 성질과 소음을 줄이는 방법

24 일차

4 **소음을 줄이는 방법으로 옳지 않은 것은 어느 것입니까?** ( )

① 스피커의 음량 줄이기
② 확성기의 사용 줄이기
③ 도로에 방음벽 설치하기
④ 밤늦게 세탁기 사용하기
⑤ 음악실 벽에 스펀지 붙이기

5 **소음을 줄이는 방법으로 옳은 것을 보기 에서 골라 기호를 써 봅시다.**

보기
㉠ 소리의 세기를 줄인다.
㉡ 소리가 직진하는 성질을 이용한다.
㉢ 소리가 잘 전달되는 물질을 이용한다

( )

6 **소리를 반사시켜 소음을 줄이는 것을 골라 기호를 써 봅시다.**

㉠

▲ 과속 방지턱

㉡

▲ 공사장 방음벽

( )

스스로 정리하기

특별 부록 

정답과 해설 ● 15쪽

다음에서 밑줄에 들어갈 문장을 골라 써서 생각 그물을 완성해 보세요.

- 큰 소리가 난다.
- 작은 소리가 난다.
- 낮은 소리가 난다.
- 높은 소리가 난다.
- 떨림을 느낄 수 있다.
- 반사되어 크게 들린다.
- 소리의 전달을 줄인다.
- 물질을 통해 전달된다.

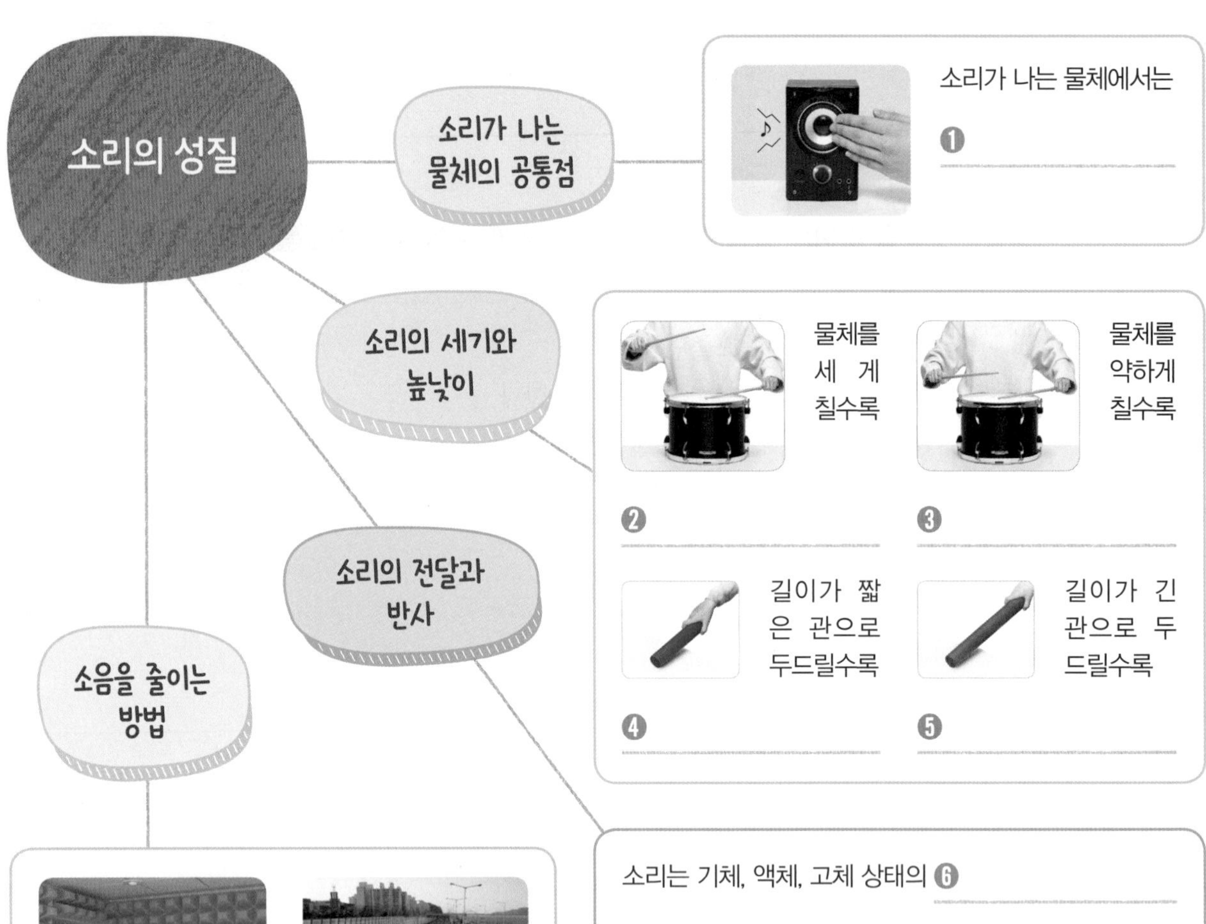

▲ 음악실 방음벽

▲ 도로 방음벽

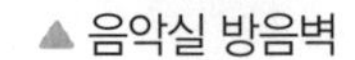

- 소리의 세기를 줄인다.
- 음악실의 방음벽은 ❽ ________
- 도로의 방음벽은 소리가 반사되도록 한다.

소리는 기체, 액체, 고체 상태의 ❻ ________

▲ 아무것도 들지 않을 때 ▲ 나무판을 들고 있을 때

나무판을 들고 있을 때 스피커의 소리는 나무판에서

❼ ________

단원 평가하기

(맞은 개수 개)

정답과 해설 • 15쪽

중요

1 소리가 나는 물체의 공통된 특징으로 옳은 것은 어느 것입니까? ( )

① 소리가 날 때 떨림이 있다.
② 소리가 날 때 부피가 커진다.
③ 소리가 날 때 온도가 낮아진다.
④ 소리가 날 때 온도가 높아진다.
⑤ 소리가 날 때 무게가 증가한다.

2 소리가 나는 소리굽쇠를 손으로 완전히 감싸 쥐었다가 뗀 후 물에 대었을 때의 모습으로 옳은 것을 골라 기호를 써 봅시다.

㉠ 
▲ 물이 튀어 오르는 모습

㉡ 
▲ 아무 변화가 없는 모습

( )

3 떨림이 느껴지는 물체가 아닌 것은 어느 것입니까? ( )

① 북채로 두드린 북
② 책상 위에 놓인 책
③ 소리가 나는 고무줄
④ 음악 소리가 나는 스피커
⑤ 날개를 빠르게 움직이는 벌

4 소리의 세기와 관련된 내용을 말한 사람의 이름을 써 봅시다.

- 민지: 정우는 같은 말을 반복해서 해.
- 태연: 나연이는 나보다 목소리가 작아.
- 민호: 은우의 기타 연주는 정말 훌륭해.

( )

서술형

5 오른쪽과 같이 작은북 위에 팥을 올려놓고 북채로 북을 쳤더니 팥이 튀어 올랐습니다. 조금 더 약한 힘으로 북을 쳤을 때의 결과를 써 봅시다.

중요

6 물체의 소리를 크게 하기 위한 방법으로 옳은 것을 보기 에서 골라 기호를 써 봅시다.

보기
㉠ 물체의 부피가 커지게 한다.
㉡ 물체의 부피가 작아지게 한다.
㉢ 물체가 떨리는 크기를 크게 한다.

( )

7 다음 실로폰을 긴 음판에서 짧은 음판 순서대로 같은 힘으로 칠 때, 소리의 변화로 옳은 것은 어느 것입니까? ( )

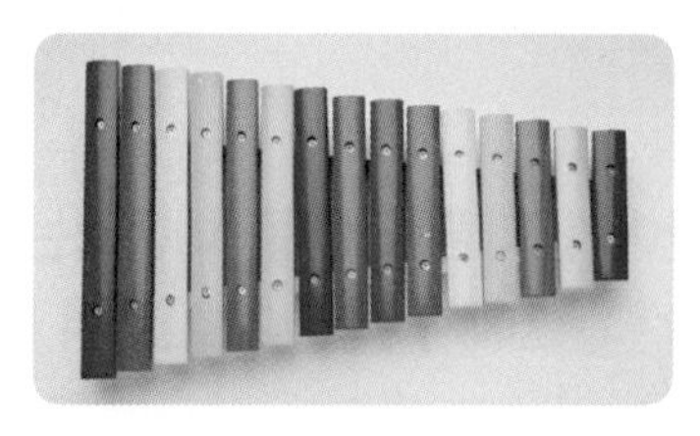

① 소리가 점점 커진다.
② 소리가 점점 작아진다.
③ 소리가 점점 낮아진다.
④ 소리가 점점 높아진다.
⑤ 소리가 높아지다가 낮아진다.

중요

8 오른쪽 팬 플루트에 대한 설명으로 옳은 것은 어느 것입니까? (　　　)

① 길이가 긴 관을 불면 높은 소리가 난다.
② 길이가 짧은 관을 불면 낮은 소리가 난다.
③ 같은 길이의 관을 부는 세기에 따라 소리의 세기가 달라진다.
④ 같은 길이의 관을 부는 세기에 따라 소리의 높낮이가 달라진다.
⑤ 관의 길이에 관계없이 같은 세기로 불면 소리의 높낮이가 같다.

9 같은 높이의 음을 내는 악기는 어느 것입니까? (　　　)

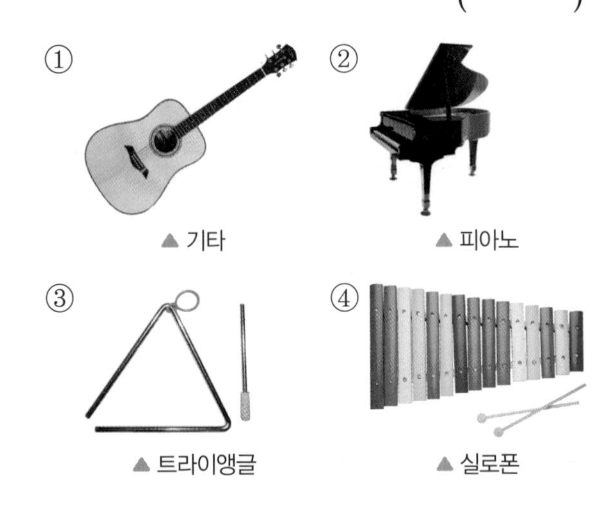

① ▲ 기타
② ▲ 피아노
③ ▲ 트라이앵글
④ ▲ 실로폰

10 높낮이가 다른 소리를 이용하는 경우로 옳은 것을 보기 에서 골라 기호를 써 봅시다.

보기
㉠ 뱃고동
㉡ 노래를 부르는 합창단
㉢ 수영장 안전 요원의 호루라기

(　　　　　　　　　　　　　　　)

서술형

11 공기를 뺄 수 있는 장치에 소리가 나는 스피커를 넣고 공기를 빼면 스피커의 소리가 점점 작아지는 까닭을 써 봅시다.

중요

12 오른쪽과 같이 실 전화기를 만들어 친구와 말을 하면서 실에 손을 대 보았더니 약한 떨림이 느껴졌습니다. 이를 통해 알 수 있는 사실로 옳은 것은 어느 것입니까? (　　　)

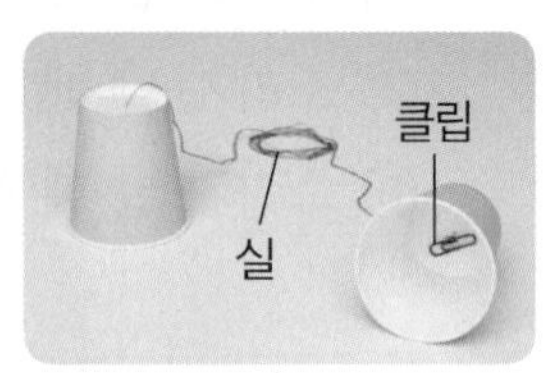

① 소리를 내면 실이 얇아진다.
② 클립을 통해 소리가 전달된다.
③ 소리가 반사되는 성질이 있다.
④ 종이컵을 통해 소리가 전달된다.
⑤ 실의 떨림으로 소리가 전달된다.

13 소리를 전달하는 물질의 상태가 나머지와 다른 것은 어느 것입니까? (　　　)

①

▲ 청진기로 몸속에서 나는 소리 듣기

②

▲ 실 전화기로 소리 전달하기

③

▲ 잠수부가 멀리서 오는 배의 소리 듣기

④

▲ 철봉에 귀를 대고 철봉을 두드리는 소리 듣기

서술형

14 산에서 큰 소리를 내면 잠시 뒤에 메아리가 들리는 까닭을 써 봅시다.

15~16 다음은 플라스틱통 속에 소리가 나는 스피커를 넣은 뒤 각각 나무판과 스타이로폼판을 들고 소리를 듣는 모습입니다.

㉠

㉡

중요

15 스피커의 소리가 더 크게 들리는 경우를 골라 기호를 써 봅시다.

( )

서술형

16 스피커에서 나오는 소리가 ㉠과 ㉡에서 다르게 들리는 까닭을 써 봅시다.

____

____

17 다음 중 소리가 반사되는 경우가 아닌 것은 어느 것입니까? ( )

①

▲ 동굴에서 울리는 소리

②

▲ 목욕탕에서 울리는 소리

③

▲ 체육관에서 울리는 손뼉 소리

④

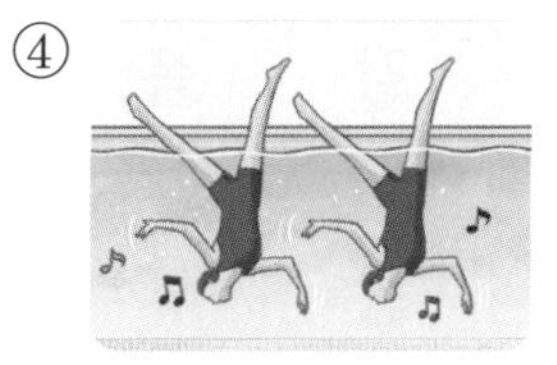

▲ 물속의 스피커 소리를 듣는 수중 발레 선수

18~19 다음은 우리 주변의 모습입니다.

18 위 (나)에서 주로 생기는 소음으로 옳은 것은 어느 것입니까? ( )

① 악기 소리

② 텔레비전 소리

③ 의자 끄는 소리

④ 건설 기계 소리

⑤ 아이들이 뛰는 소리

19 (가)~(라)의 장소에서 발생하는 소음을 줄이는 방법을 옳게 짝 지은 것을 보기 에서 골라 기호를 써 봅시다.

보기

㉠ (가) – 수업 때 확성기를 사용한다.

㉡ (나) – 소리가 큰 기계를 사용한다.

㉢ (다) – 과속 방지 턱을 설치한다.

㉣ (라) – 자동차의 경적 소리를 줄인다.

( )

중요 서술형

20 오른쪽은 주택가 주변에 있는 도로변에 설치된 방음벽의 모습입니다. 방음벽이 도로에서 생기는 소음을 줄일 수 있는 까닭을 써 봅시다.

____

____

용어 QUIZ

다음에서 설명하는 용어를 찾아 ○로 표시해 보세요.

1. 동물의 생활

1. 종류에 따라서 가르는 것
2. 바닷물이 들어오면 물에 잠기고, 바닷물이 빠져나가면 드러나는 땅
3. 물체의 앞과 뒤를 가늘게 하고 중간 부분을 볼록하게 하여 부드러운 곡선으로 잇는 형태
4. 사는 곳, 이동 방법 등
5. 동물의 앞다리, 몸쪽, 뒷다리에 걸쳐 쳐진 막

다	슬	기	비	백	로
리	분	류	막	날	개
배	추	흰	나	비	까
유	선	형	갯	벌	치
생	활	방	식	상	참
갯	지	렁	이	어	새

2. 지표의 변화

1. 영양이 되는 성분
2. 더럽게 물드는 것
3. 땅의 생긴 모양이나 형세
4. 강을 가로질러 잰 거리
5. 강이 기울어진 정도
6. 강물이 바다로 흘러 들어가는 어귀

양	공	퇴	적	운	강
분	기	침	식	반	의
논	오	염	바	위	경
운	동	장	지	형	사
밭	강	폭	하	화	단
강	상	류	구	산	흙

3. 물질의 상태

❶ 어떤 물질이 차지하는 공간의 크기

❷ 담는 그릇에 관계없이 모양과 부피가 변하지 않는 물질의 상태

❸ 담는 그릇에 따라 모양은 변하지만, 부피는 변하지 않는 물질의 상태

❹ 공기처럼 담는 용기에 따라 모양이 변하고 담긴 용기를 가득 채우는 물질의 상태

❺ 물체의 무거운 정도

무	색	깔	풍	고	체
게	바	람	선	성	모
페	트	병	액	질	양
우	유	기	체	투	명
나	무	막	대	분	류
부	피	플	라	스	틱

4. 소리의 성질

❶ 소리의 높낮이와 소리의 세기를 이용해 아름다운 음악을 연주하도록 만들어진 도구

❷ 소리의 크고 작은 정도

❸ 소리가 나아가다가 물체에 부딪쳐 되돌아오는 성질

❹ 사람이 들었을 때 기분이 좋지 않거나 건강을 해칠 수 있는 시끄러운 소리

❺ 소리의 높고 낮은 정도

소	리	의	세	기	고
리	실	로	폰	소	음
의	트	라	이	앵	글
높	소	리	의	반	사
낮	기	체	스	피	커
이	악	기	방	음	벽

용어 QUIZ 답

1. 동물의 생활

2. 지표의 변화

3. 물질의 상태

4. 소리의 성질

소	리	의	세	기	고
리	실	로	폰	소	음
의	트	라	이	앵	글
높	소	리	의	반	사
낮	기	체	스	피	커
이	악	기	방	음	벽

생 생 한 과 학 의 즐 거 움 ! 과 학 은 역 시 !

새 교과서 반영

오투 정답과 해설

초등 과학 3-2

책 속의 가접 별책 (특허 제 0557442호)

'정답과 해설'은 본책에서 쉽게 분리할 수 있도록 제작되었으므로 유통 과정에서 분리될 수 있으나 파본이 아닌 정상제품입니다.

visang

우리는 남다른 상상과 혁신으로
교육 문화의 새로운 전형을 만들어
모든 이의 행복한 경험과 성장에 기여한다

오투

정답과 해설

초등과학 3-2

정답과 해설

01일차 과학 탐구 방법

문제로 완성하기 6~11쪽

1 궁금	2 (나)	3 ⑤
4 기록	5 ⑤	6 ③

1 여러 가지 현상에서 생긴 궁금한 것을 탐구하면 궁금증을 해결할 수 있습니다.

2 탐구하고자 하는 내용이 탐구 문제에 분명하게 드러나 있어야 합니다.

3 탐구를 방해할 사람은 탐구 계획에 있어야 할 내용이 아닙니다.

4 탐구 결과를 어떻게 기록할지 정한 다음 탐구를 실행하고, 나타나는 결과를 빠짐없이 기록합니다.

5 탐구를 하지 않아도 알 수 있는 것은 탐구 결과 자료를 만들 때 들어가야 할 내용이 아닙니다.

6 친구들이 발표하는 내용을 주의 깊게 듣고, 발표가 끝나면 질문을 합니다.

1. 동물의 생활

02일차 특징에 따른 동물 분류

핵심 개념 확인하기 15쪽

❶ 털	❷ 깃털	❸ 두
❹ 일곱	❺ 분류 기준	❻ 잠자리
❼ 거미	❽ 지렁이	❾ 개미

문제로 완성하기 16~17쪽

1 ⑤ 2 ② 3 ④
4 (1) 잠자리, 벌, 까치, 나비, 토끼 (2) 뱀, 금붕어, 지렁이 5 ④ 6 뱀, 지렁이

1 공벌레는 몸에 여러 개의 마디가 있고, 다리는 일곱 쌍이 있습니다. 건드리면 몸을 공처럼 둥글게 만듭니다.

오답 바로잡기

① 부리가 있다.
↳ 공벌레는 부리가 없습니다.
② 다리가 세 쌍이 있다.
↳ 공벌레는 다리가 일곱 쌍이 있습니다.
③ 날개가 있어 날 수 있다.
↳ 공벌레는 날개가 없습니다.
④ 대롱같이 생긴 입으로 꿀을 먹는다.
↳ 대롱같이 생긴 입으로 꿀을 먹는 것은 나비입니다.

2 개미는 더듬이가 한 쌍, 다리가 세 쌍이 있으며, 몸이 머리, 가슴, 배의 세 부분으로 구분됩니다. 거미는 다리가 네 쌍이 있으며, 몸이 머리가슴과 배의 두 부분으로 구분됩니다.

3 무섭게 생겼다고 판단하는 기준이 사람마다 다르므로 '무섭게 생겼는가?'는 분류 기준으로 알맞지 않습니다.

4 잠자리, 벌, 까치, 나비, 토끼는 다리가 있지만, 뱀, 금붕어, 지렁이는 다리가 없습니다.

5 잠자리, 벌, 까치, 나비는 날개가 있고, 뱀, 금붕어, 토끼, 지렁이는 날개가 없습니다. 크기가 크고 작은 것은 판단하는 기준이 사람마다 다르므로 '크기가 큰가?'는 분류 기준으로 알맞지 않습니다.

6 뱀과 지렁이는 더듬이가 없습니다.

03일차 땅에서 사는 동물

핵심 개념 확인하기 21쪽

❶ 토끼	❷ 두더지	❸ 개미
❹ 땅강아지	❺ 기어서	

문제로 완성하기 22~23쪽

1 ①	2 ㉢, ㉣	3 ㉤
4 ④	5 ⑤	6 ③
7 ②		

1 고라니는 땅 위에서 사는 동물입니다.

2 소, 다람쥐, 공벌레는 땅 위에서 살고, 땅강아지는 땅속에서 삽니다. 개미와 뱀은 땅 위와 땅속을 오가며 삽니다.

3 다람쥐는 몸이 털로 덮여 있으며 등에 줄무늬가 있고 굵은 꼬리가 있습니다. 볼에 먹이를 넣을 수 있는 주머니도 있습니다.

4 뱀은 혀가 가늘고 길며 혀 끝이 두 개로 갈라져 있습니다.

오답 바로잡기

① 다람쥐: 땅속에서 산다.
↳ 다람쥐는 땅 위에서 삽니다.
② 소: 몸이 깃털로 덮여 있다.
↳ 소는 몸이 털로 덮여 있습니다.
③ 토끼: 앞발이 삽처럼 넓적하다.
↳ 앞발이 삽처럼 넓적한 것은 두더지입니다.
⑤ 땅강아지: 다리가 없어서 기어 다닌다.
↳ 땅강아지는 다리가 세 쌍이 있고 걸어 다닙니다.

5 땅강아지와 두더지는 땅을 파기에 알맞은 앞다리가 있어서 땅속에서 굴을 파고 이동합니다.

오답 바로잡기

① 피부가 매끄럽다.
↳ 땅강아지와 두더지는 모두 몸이 털로 덮여 있습니다.
② 땅 위에서만 산다.
↳ 땅강아지와 두더지는 모두 땅속에서 삽니다.
③ 다리가 세 쌍이 있다.
↳ 땅강아지는 다리가 세 쌍이 있지만, 두더지는 다리가 두 쌍이 있습니다.
④ 몸통으로 기어 다닌다.
↳ 땅강아지와 두더지는 모두 다리가 있어 걸어 다닙니다.

6 너구리는 다리가 두 쌍이 있으며, 다리로 걷거나 뛰어다닙니다.

7 지렁이와 뱀은 다리가 없어서 기어 다닙니다. 소, 토끼, 고라니, 다람쥐는 모두 다리가 있어 다리를 이용하여 걷거나 뛰어다닙니다.

04일차 물에서 사는 동물

핵심 개념 확인하기 27쪽

❶ 개구리 ❷ 붕어 ❸ 조개
❹ 전복 ❺ 물갈퀴 ❻ 아가미
❼ 지느러미

문제로 완성하기 28~29쪽

1 ㉠: 털, ㉡: 물갈퀴 2 ⑤
3 ① 4 ①, ④ 5 ⑤
6 ④ 7 ㉢

1 수달은 강가나 호숫가에서 살며 몸이 길고 털로 덮여 있습니다. 발가락에 물갈퀴가 있어 헤엄치기에 좋습니다.

2 다슬기는 강이나 호수의 물속 바위에 붙어서 기어 다닙니다.

오답 바로잡기

① 피라미: 아가미가 없다.
↳ 피라미는 아가미가 있습니다.
② 개구리: 물속에서만 산다.
↳ 개구리는 땅과 물을 오가며 삽니다.
③ 붕어: 몸이 각진 네모 모양이다.
↳ 붕어는 몸이 부드러운 곡선 모양입니다.
④ 물방개: 지느러미로 헤엄쳐 다닌다.
↳ 물방개는 뒷다리로 헤엄쳐 다닙니다.

3 게는 갯벌에서 살고, 고등어와 오징어는 바닷속에서 삽니다. 자라는 강가나 호숫가에서 살고, 다슬기는 강이나 호수의 물속에서 삽니다.

4 조개와 전복은 모두 딱딱한 껍데기로 둘러싸여 있고, 아가미로 숨을 쉬며, 기어 다닙니다.

오답 바로잡기

② 갯벌에서 산다.
↳ 조개는 갯벌에서 살고, 전복은 바닷속에서 삽니다.
③ 지느러미가 있다.
↳ 조개와 전복은 모두 지느러미가 없습니다.
⑤ 몸이 비늘로 덮여 있다.
↳ 조개와 전복은 모두 몸이 딱딱한 껍데기로 둘러싸여 있습니다.

5 상어는 바닷속에서 사는 동물이며, 지느러미로 헤엄쳐 이동합니다.

6 개구리는 물갈퀴가 있는 발로 헤엄쳐서 이동합니다. 피라미, 돌고래, 오징어는 지느러미로 헤엄쳐서 이동합니다.

7 붕어와 고등어는 모두 몸이 비늘로 덮여 있습니다. 붕어와 고등어는 모두 몸이 부드러운 곡선 모양이고 지느러미가 있어서 물속에서 헤엄을 잘 칠 수 있습니다.

05일차 날아다니는 동물

핵심 개념 확인하기 33쪽

❶ 한	❷ 매미	❸ 배
❹ 세	❺ 두	❻ 날개

문제로 완성하기 34~35쪽

1 ③	2 ②	3 ⑤
4 ㉡	5 ②, ③	6 ㉠

1 제비, 나비, 직박구리, 박쥐는 모두 날개로 날아다니는 동물입니다. 거미는 땅에서 사는 동물로 다리를 이용해 걸어서 이동합니다.

2 황조롱이는 부리가 짧고 끝이 휘어졌습니다.

3 백로는 몸이 흰색이고, 길고 뾰족한 부리가 있습니다. 강, 호수, 논, 갯벌에서 살며 나무 위에 둥지를 만듭니다. 몸 전체가 회색이고 귀 근처에 무늬가 있는 것은 직박구리입니다.

4 까치는 몸이 검은색과 흰색 깃털로 덮여 있고, 부리는 짧고 단단합니다. 흰꼬리수리는 몸이 전체적으로 갈색을 띠고, 부리는 날카로운 갈고리 모양입니다.

5 날아다니는 곤충인 잠자리, 매미, 벌은 날개가 두 쌍, 다리가 세 쌍이 있으며, 몸이 머리, 가슴, 배의 세 부분으로 구분됩니다.

오답 바로잡기

① 기어 다닌다.
↳ 잠자리, 매미, 벌은 모두 날개로 날아다닙니다.
④ 몸이 깃털로 덮여 있다.
↳ 몸이 깃털로 덮여 있는 것은 새입니다.
⑤ 몸이 머리와 배의 두 부분으로 구분된다.
↳ 잠자리, 매미, 벌은 모두 몸이 머리, 가슴, 배의 세 부분으로 구분됩니다.

6 날아다니는 동물은 날개가 있어서 날 수 있습니다.

06일차 사막이나 극지방에서 사는 동물

핵심 개념 확인하기 39쪽

❶ 혹	❷ 모래	❸ 사막
❹ 피부	❺ 크	❻ 작아
❼ 북극		

문제로 완성하기 40~41쪽

1 사막	2 ⑤	3 ③
4 ㉠, ㉢	5 ㉠: 커, ㉡: 작아	
6 ②		

1 사막은 비가 거의 내리지 않아 건조하고 물이 매우 적습니다. 또, 낮에는 덥고 밤에는 매우 추우며, 모래바람이 강하게 붑니다.

2 사막에는 사막여우, 뱀, 사막 딱정벌레, 사막 도마뱀, 낙타 등이 삽니다. 펭귄은 극지방에서 사는 동물입니다.

3 낙타는 혹에 지방을 저장하고 있어 먹이를 먹지 않고도 며칠 동안 생활할 수 있으며, 발바닥이 넓어 발이 모래에 잘 빠지지 않습니다. 또, 속눈썹이 길고 콧구멍을 열고 닫을 수 있어 모래바람이 불 때 눈과 콧속으로 모래 먼지가 들어가는 것을 막을 수 있습니다.

4 북극곰은 몸에 털이 촘촘하게 덮여 있어 추위를 잘 견딜 수 있고 털 색깔이 눈 색깔과 비슷해 다른 동물의 눈에 잘 띄지 않아 사냥에 유리합니다. 북극곰은 몸집이 크고 귀가 작아서 추운 환경에서 체온을 유지할 수 있습니다.

5 사막에 사는 사막여우는 귀가 크고 몸집이 작아서 몸속의 열을 밖으로 내보내고, 극지방에 사는 북극여우는 귀가 작고 몸집이 커서 몸속의 열을 쉽게 빼앗기지 않습니다.

6 순록은 코끝이 털로 덮여 있어 추운 곳에서 체온을 유지하기 좋습니다.

07일차 동물의 특징을 활용한 예

핵심 개념 확인하기 45쪽

❶ 빨판	❷ 고속 열차	❸ 물갈퀴
❹ 상어	❺ 집게 차	

문제로 완성하기 46~47쪽

1 ②	2 ②	3 산양
4 ②	5 ㉠	6 ⑤

1 문어 다리의 빨판이 다른 물체에 잘 붙는 특징을 활용하여 벽에 붙는 흡착식 걸이를 만들었습니다.

2 오리가 발가락 사이에 막이 있어 물속에서 헤엄을 잘 치는 특징을 활용하여 물갈퀴를 만들었습니다.

3 산양의 발바닥이 가파른 바위에서도 잘 미끄러지지 않는 특징을 활용하여 가파른 산길에서도 잘 미끄러지지 않는 등산화 밑창을 만들었습니다.

4 수리의 발이 먹이를 잘 잡고 놓치지 않는 특징을 활용하여 물건을 집어 원하는 곳으로 옮길 수 있는 집게 차를 만들었습니다.

5 동물의 특징을 우리 생활에서 활용한 예에는 산천어 몸의 특징을 활용한 고속 열차, 문어 다리 빨판의 특징을 활용한 흡착식 걸이, 상어 피부의 특징을 활용한 전신 수영복, 혹등고래 지느러미의 특징을 활용한 에어컨 실외기 날개 등이 있습니다.

6 뱀이 좁은 공간을 기어서 이동할 수 있는 특징을 활용하여 좁은 공간을 살필 수 있게 만든 로봇입니다.

02~07일차

스스로 정리하기 48쪽

❶ 다리가 있는가? ❷ 날개가 있는가? ❸ 기어서 이동한다. ❹ 날개가 있어 날아서 이동한다. ❺ 추운 환경에서도 잘 살 수 있는 특징이 있다. ❻ 문어 다리의 빨판의 특징을 활용한 것이다.

단원 평가하기 49~51쪽

1 ③
2 모범 답안 날개가 있어 날아다닌다. 꽃의 꿀을 먹는다.
3 ②
4 ①
5 ㉡
6 ③
7 모범 답안 기어서 이동한다.
8 은빈
9 ④
10 모범 답안 지느러미로 헤엄쳐 이동한다.
11 ㉡, ㉢
12 ㉡
13 ③
14 모범 답안 혹에 지방을 저장하고 있어서 먹이가 없어도 며칠 동안 생활할 수 있다.
15 ④
16 ③
17 ②
18 ㉠: 문어, ㉡: 물갈퀴
19 ②
20 (1) ㉠ (2) ㉢

1 공벌레는 다리가 일곱 쌍이 있고, 벌은 다리가 세 쌍이 있습니다. 지렁이는 다리가 없습니다.

2 나비는 날개가 있어 날아다니고 대롱같이 생긴 입으로 꽃의 꿀을 먹습니다.

채점 기준	
상	나비의 특징을 두 가지 모두 옳게 썼다.
하	나비의 특징을 한 가지만 옳게 썼다.

3 개구리, 고양이, 토끼는 다리가 네 개인 동물로 분류할 수 있고, 까치는 다리가 두 개인 동물로 분류할 수 있습니다.

4 나비, 뱀, 개구리는 알을 낳는 동물이고, 토끼, 고양이, 다람쥐는 새끼를 낳는 동물입니다.

5 참새, 벌, 잠자리는 날개가 있는 것(㉠)이고, 뱀, 거미, 공벌레는 날개가 없는 것(㉡)입니다. 금붕어는 날개가 없으므로 ㉡으로 분류할 수 있습니다.

6 두더지는 몸이 털로 덮여 있고, 삽처럼 생긴 앞발로 땅속에 굴을 팝니다.

오답 바로잡기

① 날개가 있다.
→ 두더지는 날개가 없습니다.
② 큰 눈으로 먹이를 찾는다.
→ 두더지는 눈이 작아서 거의 보이지 않습니다.
④ 몸에 여러 개의 마디가 있다.
→ 지렁이나 공벌레의 특징입니다.
⑤ 몸이 머리, 가슴, 배로 구분된다.
→ 개미나 땅강아지 같은 곤충의 특징입니다.

7 땅에서 사는 동물 중 다리가 있는 동물은 걷거나 뛰어서 이동하고, 다리가 없는 동물은 기어서 이동합니다.

채점 기준
땅에서 사는 동물 중 다리가 없는 동물의 이동 방법을 옳게 썼다.

8 땅에서 사는 동물 중에는 알을 낳는 동물도 있고 새끼를 낳는 동물도 있습니다.

9 바닷속에는 전복, 고등어, 오징어, 상어, 돌고래 등이 삽니다.

10 붕어와 고등어는 모두 지느러미가 있어 지느러미로 헤엄쳐 이동합니다.

채점 기준
붕어와 고등어의 이동 방법을 공통적인 생김새와 관련지어 옳게 썼다.

11 물방개는 다리가 세 쌍이 있고, 그 중 뒷다리는 길고 털이 나 있습니다.

12 잠자리는 얇고 투명한 날개가 두 쌍이 있습니다. 잠자리는 공중에서 멈춰서 날 수 있고, 빨리 날 수도 있습니다.

13 수리는 발톱이 날카로우며 부리는 날카로운 갈고리 모양입니다. 사방이 트인 숲이나 절벽, 바닷가 등에 살며 알을 낳습니다. 머리가 크고 더듬이가 있는 것은 매미의 특징입니다.

14 낙타는 등에 있는 혹에 지방을 저장하고 있어서 먹이가 없어도 며칠 동안 생활할 수 있습니다.

15 사막 도마뱀은 축축한 모래 속으로 들어가 피부로 물을 흡수하여 입으로 흘려보냅니다.

16 순록, 바다코끼리, 북극곰은 극지방에서 사는 동물입니다. 피라미는 강이나 호수의 물속에서 사는 동물입니다.

17 추운 극지방에서 사는 북극여우는 털이 두껍고 촘촘하게 나 있으며 귀가 작아서 몸속의 열을 쉽게 빼앗기지 않습니다.

오답 바로잡기

① 물이 매우 적은 곳에서 산다.
↳ 물이 매우 적은 곳은 사막입니다. 북극여우는 추운 극지방에서 삽니다.

③ 귀가 커서 몸속의 열을 밖으로 잘 내보낸다.
↳ 사막여우의 특징입니다.

④ 몸에 있는 돌기에 맺힌 물을 입으로 흘려보낸다.
↳ 사막 딱정벌레의 특징입니다.

⑤ 두 개의 긴 이빨을 얼음에 박아 몸이 미끄러지지 않게 고정한다.
↳ 바다코끼리의 특징입니다.

18 문어 다리의 빨판이 다른 물체에 잘 붙는 특징을 활용하여 벽에 붙는 흡착식 걸이를 만들었고, 헤엄을 잘 칠 수 있는 오리 발의 특징을 활용하여 물갈퀴를 만들었습니다.

19 상어 피부에는 작은 돌기가 많이 있어 물이 잘 흐르게 합니다. 이러한 특징을 활용하여 전신 수영복을 만들었습니다.

20 (1)은 뱀의 특징을 활용하여 좁은 공간을 살필 수 있게 만든 로봇이고, (2)는 거북의 특징을 활용하여 물속에서 자유롭게 움직일 수 있게 만든 로봇입니다.

2. 지표의 변화

08일차 장소에 따른 흙의 특징

핵심 개념 확인하기 55쪽

❶ 어두운 ❷ 큽니다 ❸ 작습니다
❹ 빠릅니다 ❺ 느립니다 ❻ 부식물

문제로 완성하기 56~57쪽

1 ② 2 ② 3 ㉢
4 ⑤ 5 ㉠: 화단 흙, ㉡: 운동장 흙
6 부식물 7 ③ 8 유민

1 돋보기로 흙 알갱이를 자세하게 관찰합니다.

2 운동장 흙은 주로 모래로 이루어져 있어서 만졌을 때 느낌이 거칠거칠합니다.

3 운동장 흙과 화단 흙의 물 빠짐을 비교하는 실험이므로 흙의 종류 이외의 조건(플라스틱 컵의 크기, 흙의 양, 거즈의 장 수, 붓는 물의 양, 물을 붓는 빠르기 등)은 같게 해야 합니다.

4 운동장 흙은 화단 흙보다 알갱이 크기가 더 크고 고르기 때문에 물이 더 빠르게 빠집니다.

5 물에 뜬 물질이 많은 ㉠이 화단 흙이고, 물에 뜬 물질이 적은 ㉡이 운동장 흙입니다.

6 물에 뜬 물질의 대부분은 부식물입니다.

7 부식물이 많은 화단 흙에서 식물이 잘 자랍니다. 화단 흙은 알갱이 크기가 비교적 작고, 만져 보면 부드럽습니다. 물을 넣으면 뜬 물질이 많고, 물 빠짐이 운동장 흙보다 느립니다. 또한, 모래나 흙 알갱이 외에 식물의 뿌리, 나뭇잎 조각, 죽은 곤충 등 다른 물질이 섞여 있습니다.

8 흙은 장소에 따라 색깔, 알갱이 크기, 만졌을 때의 느낌 등의 특징이 다릅니다.

09일차 흙이 만들어지는 과정

핵심 개념 확인하기 61쪽

❶ 부서져 ❷ 부식물 ❸ 나무뿌리
❹ 물 ❺ 짧습니다 ❻ 깁니다

문제로 완성하기 62~63쪽

1 흙 2 ㉡, ㉢, ㉠ 3 ②
4 ㉠: 물, ㉡: 커지기 5 ㉠
6 ⑤ 7 ②

1 바위나 돌이 작게 부서진 후, 부서진 알갱이와 부식물이 섞여서 흙이 만들어집니다.

2 바위가 부서져 작은 돌이 되고(㉡), 작은 돌은 더 작은 알갱이로 부서지며(㉢), 작은 알갱이가 부식물과 섞여 흙이 됩니다(㉠).

3 부식물은 바위가 부서져 생긴 알갱이에 섞여 흙이 됩니다.

4 물은 얼면 부피가 커집니다. 바위틈에 들어간 물이 얼면 부피가 커지면서 바위틈이 벌어지고, 물이 얼었다가 녹기를 반복하면 바위가 부서집니다.

5 플라스틱 통을 흔들면 소금 덩어리가 서로 부딪히며 부서져 작은 알갱이가 됩니다.

오답 바로잡기

㉡ 모서리가 뾰족해진다.
↳ 소금 덩어리가 서로 부딪히면서 모서리가 뭉툭해집니다.
㉢ 가루가 적어진다.
↳ 소금 덩어리가 부서지면서 가루가 많아집니다.

6 소금 덩어리가 부서지는 데 걸린 시간보다 바위가 부서져 흙이 되는 데 걸리는 시간이 더 깁니다.

7 돌이 부서진 작은 알갱이에 부식물이 섞여 흙이 만들어집니다.

10일차 땅의 모습을 바꾸는 흐르는 물

핵심 개념 확인하기 67쪽

❶ 지표 ❷ 침식 ❸ 운반
❹ 퇴적 ❺ 침식 ❻ 퇴적
❼ 아래 ❽ 많은

문제로 완성하기 68~69쪽

1 ㉡ 2 ㉠: 침식, ㉡: 퇴적
3 ㉡ 4 ⑤ 5 ㉡
6 ③ 7 호연

1 흐르는 물은 바위, 돌, 흙 등을 깎아 낮은 곳으로 운반해 쌓고, 지표의 모습을 변화시킵니다.

2 흐르는 물이 바위, 돌, 흙 등을 깎아 내는 것을 침식 작용, 흐르는 물을 따라 깎인 돌, 흙 등이 이동하는 것을 운반 작용, 운반된 돌, 흙 등이 쌓이는 것을 퇴적 작용이라고 합니다.

3 돌이나 흙은 흐르는 물에 의해 언덕 위쪽에서 아래쪽으로 이동하므로 (가)에서 (다) 방향으로 이동합니다. 물이 흐르는 동안 침식 작용, 운반 작용, 퇴적 작용은 함께 일어납니다.

4 색 모래가 이동한 모습으로 흐르는 물에 흙이 어떻게 이동하는지 쉽게 알아볼 수 있습니다.

5 물이 흐르면 흙 언덕 위쪽에 있는 흙이 흘러내려 아래쪽에 쌓이기 때문에 흙 언덕의 모습이 ㉡과 같이 변합니다.

6 언덕의 경사가 가장 급한 (가)에서 침식 작용이 활발하여 흙이 가장 많이 깎입니다. 언덕의 경사가 가장 완만한 (다)에서 퇴적 작용이 활발하여 흙이 가장 많이 쌓입니다.

7 흙 언덕의 경사를 더 급하게 쌓아야 흙이 깎이는 양이 많아져 흙 언덕의 모습이 많이 바뀝니다.

11일차 강 주변의 모습

핵심 개념 확인하기 73쪽

❶ 좁 ❷ 넓 ❸ 급
❹ 완만 ❺ 침식 ❻ 퇴적
❼ 상류 ❽ 하류

문제로 완성하기 74~75쪽

1 ㉡ 2 ③
3 ㉠: 침식 작용, ㉡: 퇴적 작용 4 ⑤
5 ㉡, ㉢ 6 ④
7 ㉠: 중류, ㉡: 하류, ㉢: 상류 8 재원

1 ㉠은 강 상류, ㉡은 강 하류의 모습으로, ㉠은 ㉡보다 강폭이 좁고, 강물이 빠르게 흐릅니다.

2 강이 시작되는 ㉠은 강 상류이고, 강의 아래쪽인 ㉡은 강 하류입니다. ㉠은 ㉡보다 강의 경사가 급합니다.

3 ㉠에서는 강폭이 좁고 경사가 급하여 물이 빠르게 흐르므로 침식 작용이 활발하게 일어납니다. ㉡에서는 강폭이 넓고 경사가 완만하여 물이 느리게 흐르므로 퇴적 작용이 활발하게 일어납니다.

4 강 하류(㉡)에는 퇴적 작용이 활발하여 운반된 작은 알갱이들이 쌓이므로 모래가 많습니다.

5 강 상류는 침식 작용이 활발하므로 바위(㉡)가 많이 보이고, 계곡(㉢)을 볼 수 있습니다.

6 강 상류에 비해 강 하류는 물이 느리게 흐릅니다.

오답 바로잡기

① 강폭이 좁다.
↳ 강 하류는 강폭이 넓습니다.
② 강의 경사가 급하다.
↳ 강 하류는 강의 경사가 완만합니다.
③ 바위나 큰 돌이 많다.
↳ 강 하류는 모래나 흙이 많습니다.
⑤ 퇴적 작용보다 침식 작용이 활발하다.
↳ 강 하류는 침식 작용보다 퇴적 작용이 활발합니다.

7 ㉠은 강물이 구불구불하게 흐르는 모습으로 강 중류에서, ㉡은 모래가 쌓여 있는 모습으로 강 하류에서, ㉢은 계곡에 있는 폭포로 강 상류에서 잘 관찰됩니다.

8 강 하류에서 넓은 평야와 들을 볼 수 있습니다. 강 하류에서 침식 작용, 운반 작용, 퇴적 작용은 함께 일어나며 퇴적 작용이 가장 활발합니다. 흐르는 물은 지표의 모습을 변화시킵니다.

12일차 바닷가 주변의 모습

핵심 개념 확인하기 79쪽

❶ 침식 ❷ 퇴적 ❸ 절벽
❹ 갯벌 ❺ 침식 ❻ 퇴적

문제로 완성하기 80~81쪽

1 ㉢ 2 (1) ㉠ (2) ㉡
3 기상 4 ② 5 ㉡, ㉢, ㉣, ㉥
6 ㉢ 7 ①

1 위쪽에서는 파도의 침식 작용에 해당하는 작용이 일어나고, 아래쪽에서는 파도의 퇴적 작용에 해당하는 작용이 일어납니다.

2 바닷가에서 바다 쪽으로 돌출된 곳(㉠)은 바닷물의 침식 작용이 활발하고, 안쪽으로 들어간 곳(㉡)은 바닷물의 퇴적 작용이 활발합니다.

3 바닷물의 침식 작용으로 바위에 구멍이 뚫립니다.

4 바닷물이 모래를 쌓아 만들어진 모래사장입니다.

오답 바로잡기

① 주로 바위가 깎이는 곳이다.
↳ 주로 모래가 쌓이는 곳입니다.
③ 바닷물의 침식 작용으로 만들어졌다.
↳ 바닷물의 퇴적 작용으로 만들어졌습니다.
④ 알갱이가 큰 바위나 돌을 많이 볼 수 있다.
↳ 알갱이가 작은 모래를 많이 볼 수 있습니다.
⑤ 바닷가에서 주로 바다 쪽으로 돌출된 곳에서 볼 수 있다.
↳ 바닷가에서 주로 안쪽으로 들어간 곳에서 볼 수 있습니다.

5 동굴, 기둥 모양 바위, 절벽, 구멍 뚫린 바위는 바닷물이 바위를 깎아 만들어진 지형입니다. 갯벌은 바닷물이 고운 흙을 쌓아 만들어진 지형이고, 모랫길은 바닷물이 모래를 쌓아 만들어진 지형입니다.

6 ㉢이 오랜 시간에 걸쳐 깎이면 윗부분이 무너지고 기둥만 남습니다.

7 바닷물의 침식 작용과 퇴적 작용으로 오랜 시간에 걸쳐 바닷가 지형이 만들어지고 변합니다. 바다 쪽으로 돌출된 곳에서 동굴이나 절벽이 잘 나타납니다.

08~12일차

스스로 정리하기 82쪽

❶ 밝은 갈색을 띠고, 비교적 알갱이가 크다. ❷ 물 빠짐이 느리고, 부식물이 많다. ❸ 부서져 점점 더 작은 알갱이가 된다. ❹ 침식, 운반, 퇴적 작용으로 지표의 모습을 바꾼다. ❺ 침식 작용이 활발하여 바위나 돌이 깎인다. ❻ 퇴적 작용이 활발하여 모래나 흙이 쌓인다.

단원 평가하기 83~85쪽

1 ⑤ 2 ③
3 ㉡, 모범 답안 운동장 흙이 화단 흙보다 알갱이 크기가 더 크고 고르기 때문에 30초 동안 물 빠짐 양이 더 많다.
4 ㉠: 운동장 흙, ㉡: 화단 흙

5 화단 흙, 모범 답안 화단 흙에는 부식물인 물에 뜬 물질이 많기 때문이다.
6 ② 7 ②
8 모범 답안 흐르는 물에 흙이 어떻게 이동하는지 쉽게 보기 위해서이다.
9 (1) ㉠ (2) ㉢
10 모범 답안 흐르는 물은 흙 언덕의 경사가 급한 위쪽의 흙을 깎아 경사가 완만한 아래쪽으로 운반해 쌓아 놓는다.
11 철수 12 ③ 13 >
14 > 15 ② 16 ④
17 퇴적 작용, 모범 답안 바닷물이 고운 흙을 넓게 쌓아서 만들어졌기 때문이다.
18 ㉡, ㉣, ㉤ 19 ㉠: 바닷가 주변, ㉡: 침식
20 ㉠, ㉣

1 운동장 흙은 밝은 갈색이고, 모래가 많습니다. 만졌을 때 거칠거칠하고, 물이 빠르게 빠집니다. 화단 흙은 어두운 갈색이고, 진흙이 많습니다. 만졌을 때 약간 부드럽고 촉촉하며, 물이 느리게 빠집니다.

2 운동장 흙과 화단 흙의 물 빠짐이 어떻게 다른지 알아보기 위한 실험입니다.

3 운동장 흙은 화단 흙보다 물이 더 빠르게 빠지므로 물이 더 많은 ㉡이 운동장 흙 아래에 있는 비커입니다.

채점 기준	
상	㉡을 고르고, 그 까닭을 ㉡이 알갱이 크기가 더 크고 고르기 때문이라고 옳게 썼다.
하	㉡만 고르고, 그 까닭을 옳게 쓰지 못했다.

4 운동장 흙에는 물에 뜬 물질이 적고, 화단 흙에는 식물의 뿌리, 나뭇잎 조각 등 물에 뜬 물질이 많습니다.

5 식물이 잘 자라는 흙에는 부식물이 많이 있습니다.

채점 기준	
상	화단 흙을 고르고, 그 까닭을 부식물(물에 뜬 물질)이 많기 때문이라고 옳게 썼다.
하	화단 흙만 고르고, 그 까닭을 옳게 쓰지 못했다.

6 소금 덩어리의 모서리가 뭉툭해집니다.

7 바위틈에서 나무뿌리가 자라면서 바위가 부서지거나, 흐르는 물에 깎여 바위가 부서집니다.

8

채점 기준
흙이 이동하는 모습을 쉽게 보기 위해서라고 옳게 쓴 경우

9 ㉠에서는 침식 작용이 가장 활발하여 흙이 가장 많이 깎입니다. ㉢에서는 퇴적 작용이 가장 활발하여 흙이 가장 많이 쌓입니다.

10

채점 기준
흙 언덕의 위쪽과 아래쪽의 경사를 비교하여 흙이 깎이는 작용과 쌓이는 작용을 옳게 썼다.

11 비가 내리면 위쪽의 흙이 아래쪽으로 이동합니다.

12 강 상류(㉠)에서는 침식 작용이 퇴적 작용보다 활발하고, 강 하류(㉡)에서는 퇴적 작용이 침식 작용보다 활발합니다.

13 강 상류에서는 바위나 돌을 많이 볼 수 있고, 강 하류에서는 모래나 흙을 많이 볼 수 있습니다.

14 ㉠은 강 하류, ㉡은 강 상류입니다. ㉠의 강폭이 ㉡의 강폭보다 넓습니다.

15 ㉡ 강 상류는 강의 경사가 급합니다.

오답 바로잡기

① 강 하류의 모습이다.
→ ㉡은 강 상류의 모습입니다.
③ 들을 많이 볼 수 있다.
→ 강 상류에서는 계곡이나 산을 많이 볼 수 있습니다.
④ 흐르는 물을 볼 수 없다.
→ 강에서 흐르는 물을 볼 수 있습니다.
⑤ 모래나 흙을 많이 볼 수 있다.
→ 강 상류는 침식 작용이 활발하므로 바위나 큰 돌을 많이 볼 수 있습니다.

16 오랜 시간 동안 바닷물의 침식 작용으로 바위가 깎여서 만들어진 절벽입니다. 주로 바닷가에서 바다 쪽으로 돌출된 곳에서 만들어집니다.

17

채점 기준	
상	퇴적 작용을 쓰고, 그렇게 생각한 까닭을 고운 흙이 넓게 쌓여서 만들어졌기 때문이라고 옳게 썼다.
하	퇴적 작용만 썼다.

18 강 상류, 흙 언덕의 위쪽, 바닷가에서 바다 쪽으로 돌출된 곳은 침식 작용이 활발합니다.

19 바닷가에서는 바닷물의 침식 작용으로 구멍 뚫린 바위와 기둥 모양의 바위가 만들어집니다.

20 ㉠은 넓고 평평한 땅이 보이는 강 하류, ㉡은 폭포가 보이는 강 상류, ㉢은 동굴, ㉣은 모래사장입니다. ㉠과 ㉣은 퇴적 지형이고, ㉡과 ㉢은 침식 지형입니다.

3. 물질의 상태

13일차 고체의 성질

핵심 개념 확인하기 89쪽

❶ 고체	❷ 볼	❸ 잡을
❹ 않습니다	❺ 않습니다	❻ 없
❼ 고체		

문제로 완성하기 90~91쪽

1 ㉠	2 ㉣	3 고체
4 ④	5 우주	6 ③

1 나무 막대와 플라스틱 막대는 여러 가지 모양의 그릇에 넣어도 막대의 모양과 부피가 변하지 않습니다.

2 나무 막대와 플라스틱 막대를 여러 가지 모양의 그릇에 넣었을 때 그릇의 모양이 바뀌어도 막대가 차지하는 공간의 크기(부피)는 변하지 않습니다.

3 고체는 담는 그릇에 관계없이 모양과 부피가 변하지 않습니다.

4 담는 그릇이 바뀌어도 모양과 부피가 변하지 않는 물질의 상태를 고체라고 합니다.

오답 바로잡기

① 손으로 잡을 수 없다.
↳ 손으로 잡을 수 있습니다.
② 흘러내리므로 쌓을 수 없다.
↳ 단단하여 쌓을 수 있습니다.
③ 대부분 눈에 보이지 않는다.
↳ 눈으로 볼 수 있습니다.
⑤ 여러 가지 모양의 그릇에 옮겨 담으면 모양이 변한다.
↳ 여러 가지 모양의 그릇에 옮겨 담아도 모양이 변하지 않습니다.

5 나무 막대는 모양과 부피가 변하지 않으므로 나무 막대보다 입구가 작은 그릇에 담을 수 없습니다.

6 물은 담는 그릇에 따라 모양이 변하므로 고체가 아닙니다.

14일차 액체의 성질

핵심 개념 확인하기 95쪽

❶ 액체	❷ 볼	❸ 잡을
❹ 부피	❺ 액체	

문제로 완성하기 96~97쪽

1 ⑤	2 ㉡, ㉣	3 ㉡
4 ⑤	5 ④	6 ㉢, ㉣

1 물과 주스는 모두 흘러내려 손으로 잡을 수 없습니다.

2 액체는 담는 그릇에 따라 모양과 담긴 높이가 변하지만, 색깔과 부피는 변하지 않습니다.

3 물을 처음에 넣었던 그릇에 다시 옮겨 담으면 처음에 표시했던 물의 높이와 같습니다.

4 액체는 담는 그릇에 따라 모양은 변하지만, 부피는 변하지 않는 물질의 상태입니다.

오답 바로잡기

① 모두 투명하다.
↳ 액체가 모두 투명한 것은 아닙니다.
② 눈으로 볼 수 없다.
↳ 눈으로 볼 수 있습니다.
③ 담은 그릇을 기울여도 모양은 일정하다.
↳ 담은 그릇을 기울이면 모양이 변합니다.
④ 담는 그릇이 바뀌어도 모양이 변하지 않는다.
↳ 담는 그릇의 모양에 따라 액체의 모양이 변합니다.

5 식용유, 간장, 액체 세제는 담는 그릇에 따라 모양은 변하지만, 부피는 변하지 않는 액체입니다.

6 의자와 공책은 고체이고, 우유와 바닷물은 액체입니다.

15일차 기체의 성질

핵심 개념 확인하기 101쪽

❶ 기체	❷ 모양	❸ 가득
❹ 공간	❺ 차지	

문제로 완성하기 102~103쪽

1 기체(공기)	2 ③, ⑤	3 ㉢
4 ①	5 ㉡	6 ④
7 ②		

1 손등에 바람이 느껴지는 것을 통해 기체가 있음을 알 수 있습니다.

2 구멍이 뚫리지 않은 플라스틱 컵으로 페트병 뚜껑을 덮고 수조의 바닥까지 밀어 넣으면 수조 안 물의 높이가 조금 높아지고 페트병 뚜껑이 내려갑니다.

3 바닥에 구멍이 뚫린 컵으로 물에 띄운 페트병 뚜껑을 덮고 밀어 넣으면 컵 안에 있던 공기가 구멍으로 빠져나가 물이 컵 안으로 들어가므로 수조 안 물의 높이는 변하지 않습니다.

4 이 실험을 통해 공기는 공간을 차지함을 알 수 있습니다.

5 ㉠, ㉢, ㉣을 통해 우리 주변에 공기가 있음을 알 수 있습니다.

6 ④는 고체의 성질입니다.

7 나무 막대는 기체가 공간을 차지하는 성질을 이용한 예가 아닙니다.

16일차 기체의 이동

핵심 개념 확인하기 107쪽

❶ 이동 ❷ 이동 ❸ 이동

문제로 완성하기 108~109쪽

1 ㉠ 2 ①, ⑤ 3 ③
4 (1) – ㉡ (2) – ㉠ 5 ④
6 ①

1 주사기의 피스톤을 밀면 공기가 ㉠ 방향으로 이동하므로 다른 쪽 주사기의 피스톤이 올라갑니다.

2 주사기의 피스톤을 다시 당기면 공기가 ㉡ 방향으로 이동하므로 다른 쪽 주사기의 피스톤이 내려옵니다.

3 이 실험을 통해 공기는 다른 곳으로 이동할 수 있다는 것을 알 수 있습니다.

4 주사기의 피스톤을 밀면 스타이로폼 공이 움직이고, 밀었던 주사기의 피스톤을 당기면 스타이로폼 공이 제자리로 돌아옵니다.

5 기체인 공기는 공간을 이동하는 성질이 있기 때문에 펌프나 공기 주입기를 이용해 튜브에 공기를 넣어 부풀릴 수 있습니다.

6 ①은 기체가 공간을 차지하는 성질을 이용한 예입니다.

17일차 기체의 무게

핵심 개념 확인하기 113쪽

❶ 무게 ❷ 공기 ❸ 무게
❹ 늘어

문제로 완성하기 114~115쪽

1 ㉢ 2 ③ 3 ⑤
4 ㉣ 5 ㉣ 6 ⑤

1 공기 주입 마개를 누르기 전보다 공기 주입 마개를 누른 후에 페트병의 무게가 늘어납니다.

2 공기 주입 마개를 누르기 전 페트병의 무게와 공기 주입 마개를 누른 후 페트병의 무게 차이만큼 페트병 안에 공기가 더 들어갔습니다.

3 공기를 더 넣은 페트병이 더 무겁습니다.

4 공기 주입 마개를 여러 번 누를수록 페트병 안으로 공기가 더 들어가므로 페트병의 무게가 늘어납니다.

5 버스 안을 가득 채운 공기의 무게는 물이 가득 차 있는 2 L들이 생수병 60개의 무게와 비슷합니다.

6 공기가 가득 찬 공기 침대는 무겁기 때문에 공기 침대 안의 공기를 모두 뺀 다음 옮기면 힘이 덜 듭니다.

오답 바로잡기

① 코끼리 나팔을 분다.
↳ 기체가 공간을 이동하는 성질을 이용한 예입니다.
② 풍선 미끄럼틀에 공기를 넣는다.
↳ 기체가 공간을 이동하는 성질을 이용한 예입니다.
③ 자전거 타이어에 공기 주입기로 공기를 넣는다.
↳ 기체가 공간을 이동하는 성질을 이용한 예입니다.
④ 페트병 입구에 풍선을 끼워 넣은 뒤 풍선을 불면 잘 부풀지 않는다.
↳ 기체가 공간을 차지하는 성질을 이용한 예입니다.

18일차 상태에 따른 물질의 분류

핵심 개념 확인하기 119쪽

❶ ○ ❷ ○ ❸ ×
❹ ○ ❺ × ❻ ×
❼ × ❽ ○ ❾ ○
❿ × ⓫ × ⓬ ○
⓭ 고체 ⓮ 액체 ⓯ 기체

문제로 완성하기 120~121쪽

1 ㉠, ㉢ 2 ② 3 ⑤
4 (1) ㉠, ㉢ (2) ㉡, ㉤ (3) ㉣, ㉥
5 ⑤ 6 ②

1 나무 막대, 물, 돌, 식용유는 눈으로 볼 수 있지만, 축구공 안에 있는 공기와 풍선 안에 있는 공기는 눈에 보이지 않습니다. 나무 막대와 돌은 손으로 잡을 수 있지만, 물과 식용유는 손으로 잡을 수 없습니다. 또한 나무 막대와 돌은 담는 그릇이 바뀌어도 모양과 부피가 변하지 않습니다.

2 액체인 물, 식용유는 담는 그릇에 따라 모양은 변하지만, 부피는 변하지 않습니다.

3 축구공 안에 있는 공기와 풍선 안에 있는 공기는 눈에 보이지 않고, 손으로 잡을 수 없습니다.

4 나무 막대, 돌은 고체이고, 물, 식용유는 액체이며, 축구공 안에 있는 공기와 풍선 안에 있는 공기는 기체입니다.

5 나무 막대는 손으로 잡을 수 있지만, 공기는 손으로 잡을 수 없습니다.

오답 바로잡기

① 나무 막대는 흐르지만, 물은 흐르지 않는다.
↳ 나무 막대는 흐르지 않고, 물은 흐릅니다.
② 나무 막대는 눈에 보이지만, 물은 눈에 보이지 않는다.
↳ 나무 막대와 물은 모두 눈에 보입니다.
③ 물은 모양이 변하지만, 공기는 모양이 변하지 않는다.
↳ 물과 공기는 담는 용기에 따라 모양이 변합니다.
④ 물은 부피가 변하지만, 공기는 부피가 변하지 않는다.
↳ 물은 담는 그릇이 바뀌어도 부피가 변하지 않고, 공기는 담는 용기에 따라 부피가 변합니다.

6 구멍 조끼 안의 공기, 에어 캡 안의 공기는 기체, 우유와 간장은 액체, 플라스틱은 고체입니다.

13~18일차

스스로 정리하기 122쪽

❶ 담는 그릇에 관계없이 모양과 부피가 변하지 않는 물질의 상태 ❷ 담는 그릇에 따라 모양은 변하지만, 부피는 변하지 않는 물질의 상태 ❸ 담는 용기에 따라 모양이 변하고, 담긴 용기를 가득 채우는 물질의 상태 ❹ 공간을 차지한다. ❺ 공기가 이동한다. ❻ 무게가 늘어난다. ❼ 상태에 따라 고체, 액체, 기체로 분류할 수 있다.

단원 평가하기 123~125쪽

1 ④
2 모범 답안 나무 막대는 담는 그릇이 바뀌어도 막대의 모양과 부피가 변하지 않는다.
3 ⑤ 4 ③ 5 같다
6 ② 7 ④
8 모범 답안 담는 용기에 따라 모양과 부피가 변하고, 담긴 용기를 가득 채운다. 9 ㉠
10 ② 11 ③, ④ 12 공기
13 ㉠ 14 ④
15 모범 답안 공기는 무게가 있다.
16 ③ 17 나무 막대 18 ①
19 모범 답안 물은 담는 그릇에 따라 모양이 변하지만, 부피는 변하지 않는다. 공기는 담는 용기에 따라 모양과 부피가 모두 변한다. 20 ④

1 나무 막대와 플라스틱 막대는 모두 고체입니다. 담긴 용기를 항상 가득 채우는 것은 기체입니다.

2 나무 막대를 여러 가지 모양의 그릇에 담아 보아도 막대의 모양과 부피가 변하지 않습니다. 이와 같은 물질의 상태를 고체라고 합니다.

채점 기준
나무 막대를 여러 가지 모양의 그릇에 담아 보는 활동을 통해 알 수 있는 나무 막대의 성질을 옳게 썼다.

3 책, 책상, 의자, 지우개, 유리컵은 고체이고, 물, 우유, 주스, 식용유는 액체이며, 공기는 기체입니다.

4 주스는 담는 그릇에 따라 모양이 다릅니다.

오답 바로잡기

① 주스의 높이는 ㉢ 그릇에서 가장 높다.
↳ 주스의 높이는 ㉠ 그릇에서 가장 높습니다.
② 담긴 주스의 부피가 그릇에 따라 다르다.
↳ 주스의 부피는 담는 그릇이 바뀌어도 변하지 않습니다.
④ 담긴 주스의 색깔이 그릇에 따라 다르다.
↳ 주스의 색깔은 담는 그릇이 바뀌어도 변하지 않습니다.
⑤ ㉡ 그릇에 들어 있는 주스는 손으로 잡을 수 있다.
↳ 액체인 주스는 흘러내리므로 손으로 잡을 수 없습니다.

5 주스는 담는 그릇이 달라져도 부피가 변하지 않습니다.

6 액체가 모두 투명한 것은 아닙니다.

7 나무는 고체입니다.

8 기체는 담는 용기에 따라 모양과 부피가 변하고, 담긴 용기를 항상 가득 채웁니다.

채점 기준
다양한 모양의 풍선에 기체가 들어 있는 모습을 통해 알 수 있는 기체의 성질을 옳게 썼다.

9 컵 안에 있는 공기가 공간을 차지하고 있어 물을 밀어 내므로 수조 안 물의 높이가 조금 높아지고, 페트병 뚜껑이 내려갑니다.

10 공기 구조물, 막대풍선, 공은 공기가 공간을 차지하는 성질을 이용한 것입니다.

11 오른쪽 주사기의 피스톤을 당기면 ㉡ 방향으로 공기가 이동하기 때문에 왼쪽 주사기의 피스톤이 안으로 내려옵니다. 이 실험을 통해 공기는 다른 곳으로 이동할 수 있다는 것을 알 수 있습니다.

12 공기가 다른 곳으로 이동하는 성질을 이용하여 펌프로 공기를 자전거 타이어에 넣을 수 있습니다.

13 무게가 적은 ㉠에 공기가 더 적게 들어 있습니다.

14 공기 주입 마개를 누르면 페트병 안에 공기가 들어가므로 페트병의 무게가 늘어납니다.

15 공기는 무게가 있기 때문에 페트병에 공기를 많이 넣을수록 무게가 늘어납니다.

채점 기준
공기는 무게가 있다고 옳게 썼다.

16 공기는 무게가 있기 때문에 공기를 넣으면 축구공의 무게가 늘어납니다.

17 나무 막대를 관찰한 내용입니다.

18 물은 흘러내리고, 눈에 보입니다.

오답 바로잡기

② 물 – 눈에 보이지 않는다.
↳ 물은 눈에 보입니다.
③ 공기 – 눈으로 볼 수 있다.
↳ 공기는 눈에 보이지 않습니다.
④ 공기 – 손으로 잡을 수 있다.
↳ 공기는 손으로 잡을 수 없습니다.
⑤ 나무 막대 – 담는 그릇에 따라 모양이 변한다.
↳ 나무 막대는 담는 그릇이 바뀌어도 모양이 변하지 않습니다.

19

채점 기준
물과 공기의 모양과 부피의 성질을 비교하여 옳게 썼다.

20 금속과 우유는 눈에 보이지만, 공기는 눈에 보이지 않습니다. 금속은 손으로 잡을 수 있지만, 우유와 공기는 손으로 잡을 수 없습니다.

4. 소리의 성질

19일차 물체에서 소리가 날 때의 특징

핵심 개념 확인하기 129쪽

❶ 떨림	❷ 떨림	❸ 날갯짓
❹ 줄	❺ 소리	❻ 멈추게

문제로 완성하기 130~131쪽

1 떨림	2 ⑤	3 ㉠
4 ㉡	5 송화	6 ㉡

1 소리는 물체의 떨림으로 발생합니다.

2 소리가 나는 물체는 떨림이 있습니다. 막대로 치기 전의 트라이앵글은 소리가 나지 않으며 떨림이 느껴지지 않습니다.

3 소리가 나는 스피커에 손을 대 보면 손에 떨림이 느껴지지만, 소리가 나지 않는 스피커는 떨림이 느껴지지 않습니다.

4 소리가 나는 소리굽쇠를 물에 대 보면 소리굽쇠의 떨림 때문에 물이 튀어 오릅니다.

5 소리가 나는 심벌즈에 손을 대면 심벌즈의 떨림이 느껴집니다.

6 소리가 나는 물체를 떨리지 않게 하면 더 이상 소리가 나지 않습니다.

20일차 큰 소리와 작은 소리

핵심 개념 확인하기 135쪽

❶ 큰	❷ 작은	❸ 세게
❹ 약하게	❺ 크게	❻ 작게
❼ 높게	❽ 낮게	❾ 세기

문제로 완성하기 136~137쪽

1 ②	2 ④	3 ③
4 세기	5 가을	6 ㉡

1 작은북을 약하게 치면 북이 작게 떨리면서 작은 소리가 나고, 작은북을 세게 치면 북이 크게 떨리면서 큰 소리가 납니다.

2 작은북을 약하게 치면 팥이 낮게 튀어 오르고, 작은 북을 세게 치면 팥이 높게 튀어 오릅니다.

3 소리의 크고 작은 정도를 소리의 세기라고 합니다.

4 소리의 크고 작은 정도를 소리의 세기라고 하며, 물체가 떨리는 크기에 따라 소리의 세기가 달라집니다.

5 물체의 소리가 커질 때 물체의 떨림은 더 커집니다.

6 야구장에서 응원할 때(㉡)는 큰 소리를 냅니다.

오답 바로잡기

㉠ 귓속말로 이야기할 때
→ 도서관에서 친구와 귓속말로 이야기를 할 때는 작은 소리를 냅니다.
㉢ 아기에게 자장가를 불러 줄 때
→ 아기에게 자장가를 불러 줄 때는 작은 소리를 냅니다.

21일차 높은 소리와 낮은 소리

핵심 개념 확인하기 141쪽

❶ 높낮이 ❷ 높은 ❸ 낮은
❹ 짧을 ❺ 길 ❻ 높은
❼ 낮은

문제로 완성하기 142~143쪽

1 ④ 2 ⑤ 3 ㉢
4 ㉢, ㉣ 5 높낮이 6 ②

1 플라스틱관을 두드릴 때 관의 길이가 짧을수록 높은 소리를 내며, 두드리는 힘의 크기는 소리의 높낮이와 관계가 없습니다.

2 플라스틱 빨대를 불 때 빨대의 길이에 따라 소리의 높낮이가 달라집니다.

3 팬 플루트는 길이가 긴 관을 불면 낮은 소리가 나고 길이가 짧은 관을 불면 높은 소리가 나므로, 길이가 가장 긴 ㉢이 가장 낮은 소리가 나는 관입니다.

4 실로폰은 음판의 길이가 짧을수록 높은 소리가 납니다. 따라서 ㉠, ㉡은 (가)보다 낮은 소리가 나고, ㉢, ㉣은 (가)보다 높은 소리가 납니다.

5 관현악단은 악기가 내는 소리의 다양한 높낮이를 이용해 연주합니다.

6 북은 높이가 같은 음을 내는 악기로, 북을 치는 세기를 조절해 소리의 세기만 다르게 하여 연주합니다.

22일차 소리의 전달

핵심 개념 확인하기 147쪽

❶ 기체 ❷ 공기 ❸ 고체
❹ 액체 ❺ 기체 ❻ 고체
❼ 액체

문제로 완성하기 148~149쪽

1 ㉡ 2 ④ 3 떨림
4 은진 5 ㉢ 6 ⑤

1 공기를 뺄 수 있는 장치 안에 소리가 나는 스피커를 넣고 장치 안의 공기를 빼면 소리를 전달하는 물질인 공기의 양이 줄어들어 소리가 작아집니다.

2 숟가락을 연결한 실을 귀에 걸고 숟가락을 두드리면 소리가 실을 통해 전달되어 잘 들립니다.

3 실 전화기는 실의 떨림을 통해 소리가 전달됩니다.

4 실험에서 물속의 스피커에서 나는 소리를 물 밖에서도 들을 수 있으므로 소리는 물과 같은 액체를 통해서도 전달된다는 것을 알 수 있습니다.

5 소리는 기체, 액체, 고체 상태의 물질을 통해 전달되며, 우리 생활에서 듣는 대부분의 소리는 기체인 공기를 통해 전달됩니다.

6 ①, ②는 기체인 공기를 통해, ③, ④는 고체를 통해 소리가 전달되는 경우입니다. ⑤는 액체인 물을 통해 소리가 전달되는 경우입니다.

23일차 물체에 부딪쳐 되돌아오는 소리

핵심 개념 확인하기 153쪽

❶ 반사 ❷ 딱딱한 ❸ 부드러운
❹ > ❺ > ❻ 되돌아오기
❼ 반사 ❽ 반사판

문제로 완성하기 154~155쪽

1 < 2 ② 3 성진
4 반사 5 ㉠ 6 ②

1 나무판은 소리가 나아가는 방향을 바꿉니다. 따라서 나무판의 각도를 잘 맞추면 아무것도 듣지 않은 경우보다 큰 소리를 들을 수 있습니다.

2 나무판은 소리를 반사시켜 소리가 나아가는 방향을 바꾸는 역할을 합니다.

3 스타이로폼판을 들면 소리가 스타이로폼판에서 반사되면서 아무것도 들고 있지 않은 경우보다 소리가 더 크게 들립니다.

4 소리가 물체에 부딪쳐 되돌아오는 성질을 소리의 반사라고 하며, 이러한 소리의 성질 때문에 소리가 울리거나 메아리가 들립니다.

5 음악당은 소리를 반사시키는 반사판을 이용하여 소리를 골고루 전달합니다. 소리는 부드러운 물체에서보다 딱딱한 물체에서 더 잘 반사됩니다.

6 산에서 큰 소리를 내면 소리가 산의 표면 등에 부딪쳐 되돌아오는 반사가 일어나기 때문에 메아리를 들을 수 있습니다.

24일차 소음을 줄이는 방법

핵심 개념 확인하기 159쪽

❶ 소음 ❷ 소음 방지 ❸ 방음벽
❹ 반사 ❺ 전달 ❻ 세기
❼ 전달

문제로 완성하기 160~161쪽

1 소음 2 ② 3 ⑤
4 ④ 5 ㉠ 6 ㉡

1 소음은 사람의 기분을 좋지 않게 만들거나 건강을 해칠 수 있는 시끄러운 소리입니다.

2 공연장은 음악을 듣기 위해 찾는 곳이므로 공연장에서 나는 노래 소리는 소음이라고 보기 어렵습니다.

3 피아노로 조용한 곡을 연주하는 소리는 소음이라고 보기 어렵습니다.

4 밤늦게 돌리는 세탁기 소리는 소음에 해당합니다.

5 소리의 세기를 줄이면 소음을 줄일 수 있습니다.

오답 바로잡기

㉡ 소리가 직진하는 성질을 이용한다.
→ 소리가 반사하는 성질을 이용해야 합니다.
㉢ 소리가 잘 전달되는 물질을 이용한다.
→ 소리가 잘 전달되지 않는 물질을 이용해야 합니다.

6 과속 방지턱(㉠)은 자동차를 느리게 달리도록 하여 도로에서 발생하는 소음을 줄이고, 공사장 방음벽(㉡)은 소리가 반사되는 성질을 이용해 공사장에서 발생하는 소음을 줄입니다.

19~24일차

스스로 정리하기 162쪽

❶ 떨림을 느낄 수 있다. ❷ 큰 소리가 난다. ❸ 작은 소리가 난다. ❹ 높은 소리가 난다. ❺ 낮은 소리가 난다. ❻ 물질을 통해 전달된다. ❼ 반사되어 크게 들린다. ❽ 소리의 전달을 줄인다.

단원 평가하기 163~165쪽

1 ① 2 ㉡ 3 ②
4 태연
5 모범 답안 팥이 이전보다 낮게 튀어 오른다.
6 ㉢ 7 ④ 8 ③
9 ③ 10 ㉡
11 모범 답안 장치 안에 있는 공기가 줄어들어 소리가 잘 전달되지 않기 때문이다.
12 ⑤ 13 ③
14 모범 답안 소리가 산에 부딪쳐 되돌아오는 반사가 일어나기 때문이다.
15 ㉠
16 모범 답안 소리는 딱딱한 물체에서가 부드러운 물체에서보다 잘 반사되기 때문이다.
17 ④ 18 ④ 19 ㉣
20 모범 답안 방음벽이 도로에서 생기는 소리를 반사시켜 주택가로 나가는 소음을 줄이기 때문이다.

1 소리가 나는 물체의 공통된 특징은 떨림이 있다는 것입니다.

2 소리가 나는 소리굽쇠를 손으로 완전히 감싸 쥐면 떨림이 없어지므로 이 소리굽쇠를 물에 대면 ㉡과 같이 물이 튀어 오르지 않습니다.

3 소리가 나는 물체에 손을 대면 떨림이 느껴집니다. 책상 위에 놓인 책은 소리가 나지 않고 떨림이 느껴지지 않습니다.

4 소리의 크고 작은 정도를 소리의 세기라고 합니다.

5 북을 치는 세기에 따라 북이 떨리는 크기가 달라져 팥이 튀어 오르는 높이가 달라집니다. 북을 세게 치면 북이 크게 떨려 팥이 높게 튀어 오르고, 북을 약하게 치면 북이 작게 떨려 팥이 낮게 튀어 오릅니다.

채점 기준
작은북 위에 팥을 올려놓고 북채로 약하게 북을 쳤을 때의 결과를 옳게 썼다.

6 물체의 떨림이 작으면 작은 소리가 나고, 물체의 떨림이 크면 큰 소리가 납니다.

7 실로폰은 음판의 길이가 길수록 낮은 소리가 나고, 음판의 길이가 짧을수록 높은 소리가 납니다. 따라서 실로폰을 긴 음판에서 짧은 음판 순서대로 같은 힘으로 치면 소리가 점점 높아집니다.

8 팬 플루트는 관의 길이에 따라 소리의 높낮이가 달라지는 악기입니다. 길이가 짧은 관은 높은 소리가 나고, 긴 관은 낮은 소리가 납니다. 같은 길이의 관을 불 때에는 세게 불수록 큰 소리가 납니다.

오답 바로잡기

① 길이가 긴 관을 불면 높은 소리가 난다.
↳ 길이가 긴 관을 불면 낮은 소리가 납니다.
② 길이가 짧은 관을 불면 낮은 소리가 난다.
↳ 길이가 짧은 관을 불면 높은 소리가 납니다.
④ 같은 길이의 관을 부는 세기에 따라 소리의 높낮이가 달라진다.
↳ 같은 길이의 관을 부는 세기에 따라 소리의 세기가 달라집니다.
⑤ 관의 길이에 관계없이 같은 세기로 불면 소리의 높낮이가 같다.
↳ 관의 길이에 관계없이 같은 세기로 불면 소리의 세기가 같습니다.

9 기타와 피아노, 실로폰은 높낮이가 다른 음을 내는 악기입니다. 트라이앵글, 북과 같은 타악기는 같은 높이의 음을 내는 악기로, 소리의 세기를 다르게 하여 연주합니다.

10 합창단은 여러 사람이 소리의 높낮이를 다르게 하여 노래를 부릅니다. ㉠은 낮은 소리, ㉢은 높은 소리를 이용하는 경우입니다.

11 장치 안의 공기를 빼면 소리를 전달하는 물질인 공기의 양이 줄어들어서 소리가 잘 전달되지 않기 때문에 스피커의 소리가 점점 작게 들립니다.

채점 기준
장치 안에 있는 공기를 빼면 스피커의 소리가 점점 작아지는 까닭을 소리의 전달과 관련지어 옳게 썼다.

12 실이 떨리는 것으로 보아 실의 떨림으로 소리가 전달되는 것을 알 수 있습니다.

13 물속에 있는 잠수부가 멀리서 오는 배의 소리를 잘 들을 수 있는 것은 소리가 액체인 물을 통해 전달되기 때문입니다.

오답 바로잡기

① 청진기로 몸속에서 나는 소리 듣기
↳ 청진기로 몸속에서 나는 소리를 들을 수 있는 것은 고체인 청진기를 통해 소리가 전달되기 때문입니다.
② 실 전화기로 소리 전달하기
↳ 실 전화기로 소리를 전달할 수 있는 것은 고체인 실을 통해 소리가 전달되기 때문입니다.
④ 철봉에 귀를 대고 철봉을 두드리는 소리 듣기
↳ 철봉에 귀를 대고 철봉을 두드리는 소리를 잘 들을 수 있는 것은 소리가 고체인 철봉을 통해 전달되기 때문입니다.

14 산에서 큰 소리를 내면 소리가 산에 부딪쳐 되돌아오는 반사가 일어나기 때문에 메아리가 들립니다.

채점 기준
산에서 큰 소리를 내면 잠시 뒤에 메아리가 들리는 까닭을 소리의 반사와 관련지어 옳게 썼다.

15 소리는 스타이로폼판보다 나무판에서 더 잘 반사되므로 ㉠에서 더 크게 들립니다.

16 소리는 딱딱한 물체에서가 부드러운 물체에서보다 잘 반사되기 때문입니다. 나무판이 스타이로폼판보다 더 딱딱하므로 소리는 나무판에서 더 잘 반사되어 크게 들립니다.

채점 기준	
상	부딪치는 물체의 딱딱하고 부드러운 정도와 소리의 반사에 관련지어 옳게 썼다.
하	부딪치는 물체의 딱딱하고 부드러운 정도나 소리의 반사 중 한 가지에만 관련지어 옳게 썼다.

17 수중 발레 선수가 물속의 스피커 소리를 들을 수 있는 것은 소리가 물을 통해 전달되기 때문입니다.

18 공사장에서는 땅을 뚫는 소리, 건설 기계 소리, 공사용 차량의 소리 등의 소음이 생깁니다.

19 도로에서는 자동차의 경적 소리를 줄이거나 방음벽이나 과속 방지 턱을 설치하여 소음을 줄일 수 있습니다.

20 도로 방음벽은 소리의 반사를 이용하여 주택가로 나가는 소음을 줄입니다.

채점 기준
방음벽이 도로에서 생기는 소음을 줄일 수 있는 까닭을 소리의 반사와 관련지어 옳게 썼다.

오·투·시·리·즈 생생한 시각자료와 탁월한 콘텐츠로 과학 공부의 즐거움을 선물합니다.

대표전화 1544-0554
주소 서울특별시 구로구 디지털로33길 48 대륭포스트타워 7차 20층